LES GRANDES ÉNIGMES DE L'HISTOIRE

Sophie Crépon

LES GRANDES ÉNIGMES DE L'HISTOIRE

Jack l'Éventreur

Illustrations
de Olivier Desvaux

bayard poche

© Bayard Éditions, 2018
18 rue Barbès, 92120 Montrouge
ISBN : 978-2-7470-8381-2
Dépôt légal : janvier 2018

Prologue

Il y a plus de dix ans, en 2007, l'affaire Jack l'Éventreur a connu un nouveau rebondissement. Cher lecteur, tu connais, n'est-ce pas, Jack l'Éventreur ? Non ?! Laisse-moi te le présenter... Jack l'Éventreur était un meurtrier affreux qui a sévi à Londres en 1888 et dont l'identité n'a jamais été découverte !... En quelques mois, il a assassiné au moins cinq femmes ! Ses victimes vivaient à Whitechapel, un quartier ouvrier très pauvre de Londres. Toute une population de veuves, d'immigrés des pays d'Europe de l'Est et d'enfants abandonnés y vivotait tant bien que mal. Les uns faisaient la manche, les autres volaient aux étals des marchés ou vendaient leur corps. Quelle misère ! On ne peut imaginer combien la vie en Angleterre, en cette fin du XIXe siècle, pouvait se montrer ingrate envers les déshérités...

Moi, Russell Edwards, je n'ai pas connu cette époque malheureuse, car je suis né en 1966. Pourtant, malgré ces décennies qui me séparent de l'année 1888, j'ai l'impression parfois d'avoir vécu dans l'ombre de l'assassin... Tu te demandes comment cela est possible ? Eh bien... Cette histoire a débuté le 8 mars 2007 précisément. Ce jour-là, j'ai reçu un texto d'un ami qui m'écrivait : *« Dis donc, Russell, es-tu au courant qu'une vente aux enchères est organisée le 17 mars à Bury St Edmunds, dans le Suffolk[1] ? Il paraît qu'on y vend un châle qui aurait appartenu à l'une des victimes de Jack l'Éventreur... »*

Mon sang n'a fait qu'un tour ! Depuis des années, en effet, je me passionne pour cette célèbre affaire criminelle non résolue. Malgré les efforts de Scotland Yard, la police de Londres, Jack l'Éventreur n'a jamais été formellement identifié. À l'époque, l'enquête a duré quatre ans, sans résultat. En 1892, l'affaire a été classée. Personne, pourtant, n'a oublié ce tueur hors du commun. Sais-tu pourquoi ? Jack n'était pas un assassin ordinaire. On dirait aujourd'hui qu'il avait le profil d'un tueur en série, un *serial killer* comme disent les Américains ! Il s'attaquait toujours aux pauvres travailleuses de la rue, tard le soir ou dans la nuit. Quand je me promène dans les rues de Whitechapel, je pense souvent

---

1. Petite ville située à deux heures au nord-est de Londres.

à ces malheureuses créatures anéanties par ce monstre. Je crois parfois entendre leurs plaintes et leurs gémissements, et ces cris qu'elles me lancent : « Faites-nous justice ! Trouvez le nom de notre assassin ! »

Ce châle dont parlait mon ami Robert, eh bien, petit lecteur, sache que je l'ai acheté. Il se trouve à présent chez moi, derrière une vitrine blindée, protégé et enfermé à double tour. J'en garde toujours la clé sur moi, de peur qu'un fantôme me la vole... Sally, ma chère et tendre épouse, se moque de moi mais je m'en fiche. Ce bout de tissu a changé le cours de ma vie. À cause ou grâce à lui, j'ai découvert bien des secrets. Je ne puis t'en dire davantage pour l'instant car l'enquête que je mène depuis plusieurs années n'est pas achevée. J'attends les résultats d'une ultime analyse scientifique qui pourrait me confirmer certains faits... En attendant, je puis te dire que je me suis lancé dans des recherches de longue haleine. J'ai commencé par les archives de Scotland Yard, où sont rangés les rapports de police et les interrogatoires des témoins de l'affaire. Hélas ! la plupart des dossiers ont brûlé dans les incendies qui ont embrasé Londres pendant la Seconde Guerre mondiale. D'autres ont mystérieusement disparu... Ceux qui restent, cependant, recèlent une extraordinaire mine d'informations. Quelle émotion de feuilleter et déchiffrer cette vieille paperasse dans laquelle, peut-être, se cache un détail qui aurait pu mettre les enquêteurs sur la piste !

D'ailleurs, il y a maintenant un an exactement, j'ai fait une découverte étonnante. Alors que je farfouillais dans un vieux dossier à la couverture cartonnée toute déchirée, je suis tombé sur une liasse de lettres jaunies et une sorte de journal intime en mauvais état. La plupart des lettres étaient signées... Jack l'Éventreur! Le journal, lui, a été écrit en 1888 par un certain Henry Simpson, né le 10 juillet 1875. Henry n'avait que treize ans, alors. Il était encore assez rare à l'époque que les enfants sachent lire et écrire. Comme je m'en étonnais auprès du conservateur des archives de Scotland Yard, le vieil homme m'a répondu en souriant malicieusement : « Cher Monsieur, sachez qu'Henry Simpson était le fils d'un policier de Scotland Yard nommé Amos Simpson. Ses parents étaient éduqués. Ils lui ont donné une bonne instruction. La police est une grande famille. À la mort d'Henry en 1929, sa fille a tenu à nous léguer ce journal intime. Il paraît qu'Henry y tenait comme à la prunelle de ses yeux ! Je dois avouer que je n'en connais pas le contenu exact. Je n'ai jamais pris le temps de lire davantage que les premières pages, qui ne m'ont pas paru d'un grand intérêt. »

Je me suis plongé dans la lecture du journal d'Henry... Eh bien, je n'ai pas été déçu ! Ce vieux grincheux de conservateur a eu bien tort de ne pas se montrer plus curieux... Henry, malgré son jeune âge, savait fort bien décrire et raconter. Comme moi, il s'est passionné pour l'affaire Jack l'Éventreur. Sauf que lui a vécu

à l'époque des faits, et a entendu les conversations de son père...
Malheureusement, je n'ai pas obtenu l'autorisation de reproduire
les pages du journal d'Henry. Scotland Yard se montre méfiant
à l'égard des fouineurs de mon espèce ! Aussi, j'ai écrit moi-
même l'histoire qui suit. Elle est inspirée très directement des
lettres du meurtrier et de ce qu'a vu et entendu Henry pendant
les trois mois, de fin août 1888 à novembre 1888, durant lesquels
Jack l'Éventreur a semé la terreur dans les rues de Whitechapel.
J'aime autant prévenir : certains passages pourraient heurter
la sensibilité des jeunes âmes... Tu es prêt, lecteur ? Bienvenue
en enfer...

Russell Edwards, janvier 2017

Chapitre 1

Par une étrange nuit...

Londres, 30 août 1888

– Henry ! On t'attend !

Debout au bas de l'escalier, Mme Jane Simpson, toute pomponnée et revêtue d'un long manteau noir, fulminait. Son fils Henry était encore en retard, alors que ce n'était pas le moment de rêvasser. Pour une fois, toute la famille était invitée au théâtre Lyceum pour voir une nouvelle pièce intitulée *L'étrange cas du*

Docteur Jekyll et Mister Hyde[1]. La représentation commençait dans trois quarts d'heure et il fallait bien une demi-heure pour rejoindre Covent Garden[2] où se trouvait la salle de spectacle. Devant le perron de la maison, Amos Simpson, vêtu d'une élégante redingote louée chez Harrod's, patientait en compagnie du cocher. En prévision de la soirée, le père d'Henry et époux de Mme Simpson, avait commandé un cab, l'une de ces voitures tirées par des chevaux qui sillonnent les rues de Londres.

– Fait pas chaud, hein ? marmonna le cocher. On peut dire que le mois d'août a été frais, c't'année...

Amos hocha la tête sans répondre et leva le nez vers le gris du ciel. Ce soir, les étoiles ne brilleront pas, songea-t-il. La pluie n'avait cessé de tomber toute la journée, rendant le pavé visqueux et glissant. À présent que la nuit tombait, le brouillard se levait et commençait à ramper dans les rues en nappes épaisses, pareilles à des spectres errants.

Enfin, Henry déboula comme une tornade. C'était un jeune garçon à la bouille toute ronde criblée de taches de rousseur, à l'air vif et intelligent.

– Je suis prêt !

---

1. Ce roman de Robert Louis Stevenson, publié en 1886, et adapté au théâtre, raconte l'histoire d'un médecin fou souffrant d'une double personnalité, l'une bonne, l'autre mauvaise. En 1888, la pièce se jouait au théâtre Lyceum avant que les représentations ne soient interrompues en raison de la panique provoquée par les meurtres de Jack l'Éventreur !
2. Quartier de Londres.

– Mais qu'est-ce que tu fabriquais dans ta chambre ? le sermonna Jane en montant dans la voiture.

– Je cherchais mon carnet de notes !

Mme Simpson soupira. Depuis quelque temps, son fils s'était mis en tête de devenir journaliste. Ou policier, comme son père. Il ne mettait plus un pied dehors sans son fichu calepin !

– Je suis fier de toi, sourit Amos en passant la main dans la tignasse rouge de son fils. Allez, en route, cocher ! ordonna-t-il en tapant sur la portière.

Les chevaux s'ébranlèrent en faisant claquer leurs sabots sur Temple Street. Amos Simpson se rencogna dans la banquette, la mine satisfaite. En cet instant, il songeait que sa carrière prenait une tournure satisfaisante. Il y a deux ans, il était nommé sergent. Avec les changements qui ne manqueraient pas d'arriver à la tête de Scotland Yard, il espérait bientôt une autre promotion. Son supérieur lui confiait souvent des missions particulières, un signe qui ne trompe pas. D'ailleurs, hier, il l'avait fait venir dans son bureau et lui avait dit : « Les ouvriers s'agitent, les grèves se multiplient. Le préfet craint des troubles des milieux anarchistes. Surtout ces satanés terroristes irlandais ! Jusqu'à la fin de l'année, Amos, tu seras en affectation spéciale. Je compte sur toi. Je veux que tu patrouilles dans l'East End, dans les districts de Whitechapel et de Spitalfields, surtout du côté du Club des Travailleurs. Tu commenceras lundi. »

Le sergent Simpson n'avait pas été particulièrement heureux d'entendre qu'on l'obligeait à aller faire des tournées dans l'East

End. Ces quartiers du Nord-Est de Londres, mal éclairés et insalubres, avaient fort mauvaise réputation en raison de l'extrême pauvreté de leurs habitants. Le crime et le vice y régnaient en maîtres ! D'ailleurs, deux meurtres venaient d'y être commis. Amos soupira. Les victimes étaient de pauvres filles perdues, alcooliques, battant le trottoir à la recherche de clients. Le policier fouilla sa mémoire... Comment s'appelaient-elles, déjà ? Ah oui... Emma Smith et Martha Tabram. Amos n'était pas chargé de l'enquête, il n'était pas encore inspecteur. Mais il avait saisi quelques conversations... Et il se trouvait toujours un détective pour lâcher quelques informations au pub[1] du coin. « Mon vieux, lui avait confié un de ses collègues, un sale type a poignardé trente-neuf fois cette infortunée Martha ! On soupçonne une bande de mauvais garçons de l'avoir attaquée pour la voler. Ou alors, la victime n'avait pas d'argent pour payer son souteneur[2] et c'est un règlement de comptes. En tout cas, les deux victimes habitaient à une centaine de mètres l'une de l'autre. »

Sans s'en rendre compte tant il était plongé dans ses pensées, Amos haussa les épaules. De toute façon, tout le monde se fichait de ces infortunées...

– Papa, on est arrivé ! cria soudain Henry en battant des mains.

L'entrée du théâtre Lyceum apparut dans un halo de lumière. Depuis quelques années, l'électricité avait remplacé les becs de

1. Café, bar typique de la Grande-Bretagne.
2. Homme qui exploite les prostituées.

gaz devant les lieux emblématiques de la capitale britannique. Henry, tirant sa mère par la main, sauta sur le pavé et manqua de s'y fracasser le crâne.

– Voyons, Henry! cria sa mère en le retenant de justesse.

Le jeune garçon se redressa. Une petite foule endimanchée patientait devant le théâtre et plusieurs paires d'yeux se tournèrent vers lui. Henry bomba le torse et sortit son carnet. Puisque tous ces gens le fixaient avec tant de sévérité, il allait leur inventer des noms. «Lui, là-bas, avec sa canne à pommeau et son air coincé, je vais l'appeler sir de La Haute. Sir de La Haute est un méchant homme qui a bien des choses à cacher. Et elle, avec sa robe rose à frou-frou ridicule, je la baptise lady Bombonne. Lady Bombonne se trouve grosse et moche. Elle est bien malheureuse et, pour se venger, elle maltraite ses domestiques...»

– Henry!

Exaspérée, Jane Simpson fit signe à son fils de la suivre. Le son aigrelet de la clochette appelant les spectateurs à rejoindre la salle de spectacle venait de retentir. Mais Amos, comme d'habitude, s'attardait avec l'un de ses collègues, invité comme lui avec son épouse. Les deux hommes discutaient à quelques mètres avec animation. Jane retint un mouvement d'impatience. Elle n'entendait pas leur conversation, mais elle était presque certaine qu'ils parlaient du chef de Scotland Yard, le préfet Charles Warren. Les deux policiers devaient encore se plaindre. Il faut dire que sir Charles Warren n'avait pas bonne réputation au sein de la police. C'était un homme intransigeant qui n'avait pas hésité à réprimer très durement une révolte ouvrière l'année passée. Amos, en particulier, ne l'estimait guère en raison du temps qu'il avait mis à accepter sa nomination au grade de sergent. Les journalistes ne l'appréciaient pas davantage. Des articles très critiques paraissaient souvent dans la presse à son sujet.

Lassée d'attendre son mari, Jane entraîna Henry vers la salle. Mais alors que la mère et le fils venaient de s'installer sur les fauteuils, Amos surgit soudain, l'air contrarié.

– Mes chéris, je ne vais pas pouvoir rester avec vous... On vient de m'apprendre qu'un immense incendie s'est déclenché sur les docks. Une compagnie est déjà sur place, mais il semble qu'il faille des renforts[1]. Les chefs rameutent tous les policiers disponibles. Je suis désolé... Le cab viendra vous chercher après le spectacle pour vous ramener à la maison.

En un clin d'œil, Amos disparut et Henry, tout à coup, se sentit las. Pfff... Son père travaillait six jours sur sept comme tous les policiers. Il le voyait rarement. Pour une fois qu'ils allaient tous les trois au théâtre... Mais très vite, il se secoua. Eh bien, tant pis, il serait l'homme de la soirée! Il allait veiller sur sa mère, voilà tout...

***

1. À l'époque, les policiers remplissaient aussi des missions de pompier.

– La pièce t'a plu ?

Le cab venait de déposer Jane et Henry devant leur maison, au n° 6 de Temple Street.

– Oh oui ! s'exclama Henry. Ce Docteur Jekyll m'a fait très peur, surtout quand il se transforme en méchant Mister Hyde ! Je n'aimerais pas le rencontrer pour de vrai ! sourit malicieusement Henry.

– Hum... Moi non plus, soupira Jane en jetant un œil sur l'horloge du salon qui indiquait plus d'une heure du matin. Ton père n'est pas encore rentré, cet incendie doit être gigantesque...

Pour faire son important, Henry prit un air supérieur et une voix grave :

– Chère amie, n'ayez pas d'inquiétude. Votre mari lutte contre les flammes et les forces du mal. Je m'en vais vous préparer une tasse de thé. Voulez-vous faire une partie de bridge en attendant M. Simpson ?

Jane sourit mais elle s'inquiétait. Les minutes, qui se transformaient en quarts d'heure, passèrent, ponctuées par le tic-tac pesant de l'horloge. Tout à coup, le bruit d'une clé doucement glissée dans la serrure de la porte d'entrée se fit entendre.

– Enfin ! s'exclama Jane en allant à la rencontre d'Amos. Qu'est-ce que... ?

Mme Simpson s'arrêta net. Le visage de son mari était couleur gris cendre.

– Je suis épuisé, dit-il en se laissant tomber sur la méridienne de cuir. L'incendie a ravagé plusieurs entrepôts, on a mis des heures à le maîtriser. Mais ce n'est pas le pire... On nous a signalé un nouveau meurtre à Whitechapel. Encore une prostituée... Son corps a été retrouvé à Buck's Row, une petite ruelle derrière les docks, un peu après 3 h 30. Oh, Jane, c'était affreux... Je n'oublierai jamais l'horrible grimace de son visage...

Chapitre 2

Dans l'enfer de l'East End

3 septembre 1888

– Hé, hé, hé...

Henry releva la tête. Il était content de lui, vraiment. Pour un apprenti enquêteur, il s'était bien débrouillé. Dans les jours suivant la soirée au théâtre Lyceum, il avait réussi à en savoir plus sur le meurtre survenu ce soir-là à Whitechapel. Bon, c'est vrai, il avait dû écouter aux portes pour saisir les conversations entre son père et sa mère, car Amos avait refusé de livrer des détails devant lui. « Ce n'est pas pour les enfants », lui avait-il encore répété ce matin.

Henry relut son carnet : Mary Ann Nichols. D'après les premiers éléments de l'enquête, la victime était brune avec des yeux marron. Elle avait 43 ans et laissait derrière elle cinq enfants. Elle habitait au White House, un asile de nuit[1] situé au n° 56 de la Flower and Dean Street. Par rapport à Temple Street, Whitechapel n'était qu'à 2 ou 3 kilomètres. Une idée s'insinua dans l'esprit d'Henry : et s'il y allait lui aussi ? Peut-être pourrait-il glaner quelques indices, qui sait ? Il ne se l'avouait pas mais il était aussi un peu inquiet. Son père était chargé depuis le début de la semaine d'aller faire des rondes là-bas, dans ce Londres inconnu. Or, tous les Londoniens bien éduqués évoquaient l'East End avec un air de dégoût. Henry respira à fond : sa mère était sortie pour la journée et son père ne rentrerait pas avant le début de la soirée. C'était le moment ou jamais d'en avoir le cœur net.

∗∗∗

Henry marchait depuis une heure sous un ciel gris et il n'en menait pas large. Le Londres qu'il découvrait n'avait rien à voir avec la ville qu'il connaissait. Devant lui, à droite et à gauche, des rangées interminables de petits immeubles de briques sales

---

1. Hébergement pour les personnes sans abri.

s'élevaient en tristes façades monotones. De hautes cheminées crachaient de lourdes fumées malodorantes qui retombaient en poussières noires sur les arbres rachitiques. De part et d'autre de la rue principale, une foule bruyante et famélique s'agitait. Et puis, il y avait ces passages étroits et sombres qui s'enfonçaient dans des arrière-cours bordées d'entrepôts et d'usines... Alors que son quartier était aéré et fleuri, Henry découvrait à Whitechapel un paysage sinistre et un air empesté ! Malgré tout, il n'aspirait qu'à s'aventurer au-delà de cette Commercial Road qu'il remontait. Mary Ann Nichols avait été retrouvée non loin d'ici. Henry fouilla dans sa mémoire. Buck's Row. C'est ça ! C'était le nom du passage où la malheureuse avait été assassinée. Évidemment, pour y aller, il lui aurait fallu un guide, pas question de s'y aventurer seul alors qu'il ne connaissait pas les lieux... Or, pour l'heure, il n'avait croisé que des ouvriers marchant d'un pas pressé, la tête baissée et les mains enfoncées dans les poches. Ou des marins étrangers et des femmes ivres qui sortaient des pubs en titubant et en braillant à tue-tête des chansons grivoises. Il y avait aussi ces mendiants repoussants de crasse et ces bandes de gamins morveux qui se poursuivaient en hurlant, vêtus de guenilles... À qui faire confiance ?

– À personne !

Henry se retourna brutalement. Sans s'en rendre compte, il avait parlé tout haut. Et cette petite clocharde à la tignasse blonde l'avait entendu. D'un geste vif, elle sortit de la poche de sa robe rapiécée une petite bourse en cuir et l'exhiba malicieusement :

– Tu la reconnais ?

– Mais… C'est à moi ! Espèce de voleuse ! cria Henry, furieux.

– Eh, oh ! Te fâche pas ! rétorqua la petite en haussant le ton. Si tu cherches quelqu'un ou quelque chose ici, je peux t'y amener. Mais, en échange, je garde la bourse. J'ai pas mangé de la journée…

En voilà une qui ne manquait pas d'aplomb !

– Comment tu t'appelles ? demanda Henry, mi-admiratif, mi-effrayé.

– Emily… Alors, marché conclu ?

Henry hésita puis il se décida :

– D'accord, Emily. Tu m'as l'air débrouillarde. Et j'ai besoin de quelqu'un qui n'a pas les deux pieds dans le même sabot.

– Ah oui ? Pour quoi faire ? Tu prépares un mauvais coup ?

Henry écarquilla les yeux :

– Pas du tout ! Pour qui tu me prends ? Non…, reprit Henry en entraînant la gamine vers un banc. Assieds-toi. Je t'explique. Je mène une enquête.

– Ah oui ?

– Tu as entendu parler de ce meurtre il y a quelques jours ? Celui de Mary Ann Nichols ?

Emily regarda Henry d'un air inexpressif.

– Tout le monde est au courant. Tu cherches quoi, exactement ?

– Je voudrais voir le lieu où on a retrouvé la victime…

Emily sauta sur ses pieds.

– C'est près du cimetière et de la manufacture de laine. Je t'emmène !

En marchant, Emily regarda Henry du coin de l'œil. Soudain, elle rit :

– T'as pas peur ?

– Non, pourquoi ? dit Henry en haussant les épaules.

Emily ne répondit pas mais, soudain, elle quitta Commercial Road et tourna à gauche, dans la Turner Street. La rue, lugubre et désertée par les passants, longeait l'hôpital de Whitechapel, une grande bâtisse grise aux hautes fenêtres. Des rats détalèrent dans les caniveaux à l'approche des deux enfants. Dans une ruelle perpendiculaire, un cri affreux retentit soudain, suivi d'un bruit de chute et de pleurs. Impressionné, Henry s'arrêta net, le cœur battant. Emily s'esclaffa.

– Ah, ah ! T'as pas l'habitude, toi !

– Mais... qu'est-ce que c'est ?

– Bah... Ch'sais pas, moi. Une femme qui se fait assassiner, peut-être ? rétorqua Émilie en observant Henry du coin de l'œil.

– Pourquoi tu te moques ? Je ne te veux pas de mal, moi, répondit tranquillement Henry. Je veux juste en savoir plus. D'ailleurs, t'es qui, toi ? D'où tu viens ?

Emily haussa les épaules.

– Moi, j'suis orpheline. Je me suis enfuie de l'orphelinat. Puis j'ai atterri à la Bastille...

Henry l'interrompit.

– La Bastille ? Mais c'est en France, ça. C'est une prison !

– Ben ici, on appelle comme ça la workhouse, la maison de travail du quartier[1]. Je dirais plutôt d'esclavage, mais bon... J'avais pas le choix.

– Je ne connais pas...

– Vaut mieux pas ! C'est l'enfer ! Tu dois te lever tous les matins à 5 heures pour travailler douze heures par jour. On n'est pas payé, on a juste droit à un peu de thé, une bouillie dégoûtante, un quignon de pain rassis et un matelas par terre pour dormir. Sans chauffage, bien sûr. Et t'as pas intérêt à réclamer, hein ! Parce que sinon, c'est la porte, et à coups de pied encore !

– Je suis désolé pour toi..., murmure Henry, ému.

Emily éclata de rire.

– Toi, tu vis dans les beaux quartiers, ça se voit ! Et ça s'entend... T'as pas l'accent et tu parles bien. Tu peux pas comprendre... Bon, avant d'aller à Buck's Row, je t'emmène d'abord chez le tailleur-bottier Braunstein. C'est tout près d'ici ! J'habite avec sa famille, quand il y a de la place. En échange, je coupe le tissu et je couds des chapeaux. Parfois, je l'aide même à fabriquer des bottes !

---

1. Ces établissements créés en 1834 en Grande-Bretagne fournissaient un refuge aux sans-abris et aux chômeurs. En échange, ils devaient travailler.

Henry scruta la gamine. Elle n'était encore qu'une fillette, mais elle avait l'air d'une petite bonne femme bien courageuse ! Spontanément, Henry lui prit la main, comme un grand frère.

– Je te suis !

***

Un instant plus tard, ils arrivèrent à Dutfield's Yard, dans une impasse qui débouchait sur une courette bordée de maisons et d'ateliers aux carreaux brisés. Un chat pelé s'enfuit à leur approche. Emily frappa à la porte d'une bâtisse à deux étages ratatinée entre une mercerie et une menuiserie, au n° 13.

Un petit homme aux yeux noirs et vifs vint leur ouvrir.

– Emily ! Où étais-tu ? J'ai besoin de toi pour une course ! s'exclama-t-il avec un fort accent d'Europe de l'Est.

– J'y vais, Joseph ! Mais avant, je veux te présenter mon nouvel ami Henry.

– Bonjour, Henry, dit Joseph en détaillant le jeune garçon de la tête aux pieds. Tu veux m'acheter une paire de bottes ? Un bel habit du dimanche ? Un chapeau ? Je peux tout faire !

– Non, non ! s'esclaffa Emily. Henry enquête sur le meurtre de Mary Ann Nichols.

Aussitôt, le sourire de Joseph s'évanouit et son visage se ferma.

– Je n'ai rien à déclarer ! grommela-t-il en reculant pour fermer la porte.

– Attendez, s'il vous plaît! supplia Henry. Je ne veux...

Joseph l'interrompit brusquement, en colère :

– Tu n'as qu'à lire les journaux, petit! Ils n'arrêtent pas d'en parler! Et nous, les pauvres juifs du quartier, parce que nous ne sommes pas britanniques, parce que nous venons d'ailleurs, nous sommes accusés, comme toujours!

Henry rougit jusqu'aux oreilles.

– Je ne savais pas, Monsieur! Moi, vous savez, je n'accuse personne. Mais plus tard, j'aimerais être policier ou reporter!

Joseph regarda tour à tour Emily et Henry. Il soupira en levant les yeux au ciel, puis il ouvrit enfin sa porte en grand.

– Entrez, mais pas longtemps, hein? J'ai du travail. Et Emily aussi.

À peine le seuil franchi, Henry fut frappé par la misère du lieu. La petite pièce sombre qu'il découvrait ne mesurait pas plus de 4 mètres sur 2. L'humidité suintait des murs à tel point que le jeune garçon, incommodé par la forte odeur de moisi, se retint de se pincer le nez. Malgré l'exiguïté, une dizaine de personnes s'entassaient dans ce gourbi. Une fillette de 6 ou 7 ans était penchée sur une machine à coudre à pédale. Debout à côté d'un établi, des hommes maigrichons coupaient des morceaux de cuir dans des peaux. À leurs côtés, deux femmes cousaient des manteaux de marin en réprimant de temps à autre de violentes quintes de toux. Pour se chauffer, les occupants ne disposaient que d'un poêle à charbon. Henry eut beau regarder, il n'aperçut ni lits, ni ce qui pouvait ressembler à une bassine pour se laver, mais de mauvaises paillasses sans doute infestées de vermine. Il distingua quelques casseroles empilées à même le sol et des assiettes fêlées, des couverts en fer blanc et des chiffons souillés, des restes de repas et des bouteilles renversées. Et en guise de meubles, une armoire vermoulue et une petite table...

– Qu'est-ce que tu veux savoir, petit ? demanda Joseph, l'air grave, sans le présenter aux autres.

La gorge serrée, Henry, tout à coup, ne sut plus que dire. Il sentit sur lui les regards curieux de ces gens tristes et silencieux qu'il ne connaissait pas. Gentiment, Emily lui serra la main pour l'encourager.

– Euh... Est-ce que vous connaissiez la victime ? demanda Henry maladroitement.

– De vue seulement, soupira Joseph. On m'a dit que son logeur l'avait mise à la porte la nuit du crime. Parce qu'elle n'avait pas l'argent pour payer sa chambre...

– Ah..., bafouilla Henry. Mais ce n'est pas juste !

– Les logeurs, ici, ont tous les droits, petit. Tu payes, t'as un toit, tu payes pas, tu vas voir ailleurs !

– Et... la victime... Vous savez comment elle est morte ?

Joseph demeura silencieux quelques secondes. Puis il se pencha à l'oreille d'Henry pour lui murmurer la réponse. À mesure qu'il parlait, le jeune garçon sentit son cou se couvrir de sueur.

– Oh mon Dieu...

– C'est tout ce que je sais, petit, dit Joseph en se levant. Maintenant, va-t'en, j'ai à faire.

***

– Qu'est-ce qu'il t'a dit ? Hein ? Qu'est-ce qu'il t'a dit ?

Emily raccompagnait Henry dans la rue. Elle tira sur sa manche avec insistance.

– Plus tard..., dit Henry en secouant la tête. Je reviendrai te voir et je t'apporterai même à manger. Dis-moi juste comment je peux rejoindre Buck's Row. Je veux voir à quoi ça ressemble.

– Désolée de ne pas pouvoir t'accompagner... Promis, tu reviendras ?

– Promis.

Henry s'éloigna en direction de Buck's Row, situé à quelques centaines de mètres de la maison de Joseph. Un frisson le secoua. Il y a quelques jours, vers 3 heures du matin, un mystérieux assassin marchait sur cet étroit trottoir pavé. Il avait repéré sa victime comme un prédateur, l'avait suivie en silence avant de l'attraper par le cou et...

– Aaaaaaaahhhhh !

Une main venait d'agripper Henry par l'épaule et le faisait

brutalement tourner sur lui-même. Instinctivement, le jeune garçon dressa ses deux bras devant son visage pour se protéger.

– Ne crie pas, petit !

Un homme d'imposante stature se tenait devant Henry. Au-dessus d'une barbichette taillée en pointe et d'une paire de grosses moustaches, deux yeux perçants le fixaient.

– Qu'est-ce que tu viens faire ici, gamin ? demanda l'inconnu. Je me présente : George Sims. Je travaille pour le journal *Le Star*.

Les jambes coupées par toutes ces émotions, Henry s'assit sur le rebord du trottoir pour reprendre son souffle.

– Vous m'avez fait peur...

– Je vois ça...

Henry bondit sur ses pieds, vexé.

– Mon père est policier, vous savez !

– Et alors ? Nous, les journalistes, on n'aime pas beaucoup la police.

– Alors... Rien.

George Sims sourit en lissant sa moustache.

– Vraiment ? Mon flair me dit que tu n'es pas venu ici par hasard...

– Vous non plus ! rétorqua Henry.

– C'est vrai. Je m'intéresse comme toi au meurtre de Mary Ann Nichols.

– Comment vous le savez ?

– Ah, ah ! J'ai mes petits informateurs dans le quartier, figure-toi ! Et puis, je t'ai vu sortir de chez ce M. Joseph Braunstein.

George Sims se pencha vers Henry.

– Je m'occupe de la rubrique faits divers au *Star*. Je connais bien le quartier de Whitechapel parce qu'il s'y passe plein d'évènements croustillants qui intéressent nos lecteurs. J'ai un marché à te proposer : on va échanger nos informations... Ton père est policier, dis-tu. Il sait certainement des choses que j'ignore...

Henry réfléchit un instant : après tout, il n'avait rien à perdre. Mais avant d'accepter, il voulait s'assurer que monsieur le journaliste avait bien de vraies nouveautés à lui apprendre !

– D'accord... Mais dites-moi d'abord ce que vous savez !

George Sims prit sa pause favorite avant de répondre. Il redressa le menton en s'appuyant sur sa canne, passa son pouce entre deux boutonnières de sa redingote et avança la jambe droite :

– J'ai interrogé plusieurs femmes du quartier. Elles prétendent qu'un type les menace avec un couteau depuis plusieurs mois. Elles l'ont surnommé « Tablier de Cuir », parce qu'il porte ce genre de vêtement. Du coup, la police pense que l'assassin pourrait être un artisan. Peut-être un boucher... Si tu vois ce que je veux dire...

Chapitre 3

Recherche chirurgien criminel

Mardi 12 septembre 1888

Le sergent Amos Simpson tira sur le col de sa chemise. Il faisait trop chaud dans cette pièce, avec tout ce monde qui parlait à qui mieux mieux. Le policier venait d'entrer en réunion d'urgence avec l'ensemble des agents de la Metropolitan Police[1] en charge de la surveillance de Whitechapel. Et les esprits s'échauffaient...

1. À l'époque, deux polices différentes assuraient la sécurité à Londres : la Metropolitan Police, appelée aussi Scotland Yard, et la police de la Cité de Londres.

Quatre jours auparavant, dans la nuit du 7 au 8 septembre, le mystérieux tueur, celui que les journalistes appelaient désormais « Tablier de Cuir », avait encore frappé. À quelques rues du lieu du précédent assassinat. Aucun des agents en maraude dans le quartier cette nuit-là n'avait rien vu ni rien entendu. Il y avait de quoi enrager ! Depuis, les habitants en colère défilaient dans les rues du quartier pour réclamer justice. Persuadés de leur culpabilité sans en avoir la moindre preuve, certains manifestants s'en prenaient violemment aux immigrés en hurlant : « Lynchez-les ! Dehors, les juifs ! » La veille, une délégation de syndicalistes de l'East End était venue jusqu'à la City, dans le bureau de l'inspecteur en chef de la police, Donald Swanson, pour exiger des informations complètes sur l'avancement de l'enquête. La presse, évidemment, se mêlait de l'affaire. Elle publiait des Unes plus sensationnalistes les unes que les autres en affublant l'assassin de surnoms effrayants qui frappaient les esprits : « La Terreur silencieuse de minuit » ou encore « La Terreur rouge ». Beaucoup d'éditorialistes influents profitaient de la situation pour critiquer ouvertement la police et s'en prendre au préfet Warren, le patron de Scotland Yard. Quatre jours après le deuxième meurtre attribué au monstre de Whitechapel, les autorités craignaient de graves troubles à l'ordre public et la police était sur les dents.

Amos fronça les sourcils. Personne n'avait rien vu ni rien entendu et pourtant l'assassin avait pris des risques. Il avait attendu 5 h 30, au matin du 8 septembre, pour attaquer Annie Chapman, une femme de 47 ans, mère de trois enfants. Il faisait déjà jour, la victime se trouvait dans une cour au niveau du 29 Hanbury Street. Un lieu loin d'être désert : dix-sept locataires vivaient dans l'immeuble qui longe ce passage. Or, à cette heure-ci, les ouvriers étaient déjà levés pour aller travailler. Ce matin-là, beaucoup de journaliers attendaient l'ouverture de la manufacture d'emballage devant le Black Swan, un pub situé à quelques mètres, devant le 23 Hanbury Street. Le corps d'Annie Chapman avait été retrouvé moins d'une heure après sa mort, vers 6 heures, par un voiturier qui sortait de chez lui. N'importe qui aurait pu tomber sur le meurtrier en train de commettre son horrible forfait !

— Pourquoi on n'arrive pas à lui mettre le grappin dessus ? Hein ? Ce type n'est pas un fantôme, quand même…

Amos sursauta en entendant son voisin, l'agent Edward Watkins, avec qui il effectuait les rondes[1]. Il soupira :

— Je ne sais pas… J'ai entendu qu'hier la tenancière du Prince Albert, le pub de la Brushfield Street, avait rapporté une information intéressante. Vers 7 heures, le matin du meurtre d'Annie Chapman, elle a vu arriver un gars dans son établissement. Il portait une veste sombre et un chapeau melon baissé sur les yeux. Paraît qu'il avait des traces de sang sur le dos de ses mains,

---

1. Les quartiers de l'East End londonien étaient tellement peu sûrs à la fin du XIXe siècle que les policiers avaient ordre de n'y patrouiller que deux par deux.

sur son col et sous son oreille... Et il se comportait bizarrement, comme s'il ne voulait pas se faire remarquer. Il a commandé une demi-pinte de bière puis il est parti très vite...

Watkins secoua la tête, l'air dubitatif.

– Hum... Ce type travaillait peut-être dans un abattoir, il y en a plein dans le quartier ! Et puis... Tu imagines un meurtrier prendre le temps d'avaler une bière après sa petite affaire ? Non... À mon avis, ce témoignage ne vaut rien. Moi, on m'a décrit le suspect comme un homme à la nuque épaisse, de petite taille, âgé de 38 ou 40 ans, qui porte une casquette et un long manteau de couleur foncée...

Amos s'esclaffa.

– Eh ben ! Avec ça, on est bien avancé ! On ne sait même pas à quoi il ressemble. On ne va jamais l'attraper...

À cet instant, l'inspecteur en chef Donald Swanson tapa du plat de la main sur le bureau pour attirer l'attention de ses troupes.

– Messieurs ! Messieurs ! Un peu de calme, s'il vous plaît !

Avant de reprendre la parole, l'inspecteur se racla la gorge puis il avala sa salive. Son visage affichait un air inhabituellement grave tandis qu'il balayait d'un regard fatigué ses troupes rassemblées.

– Messieurs, je vous ai réunis parce que je viens de recevoir le rapport du chirurgien de la police, le docteur Phillips, qui a examiné Annie Chapman à la morgue.

Il laissa planer un petit silence, avant de reprendre :

– Nous avons affaire à un tueur méthodique, froid et sûr de lui. Nous pensons désormais que l'assassin en est peut-être à son troisième meurtre ces dernières semaines. Il aurait commencé par Martha Tabram avant de s'en prendre à Mary Ann Nichols et, il y a quelques jours, à Annie Chapman. Cet individu connaît par cœur les rues de Whitechapel, ce qui nous laisse à penser qu'il habite le quartier. Je ne vais pas vous lire les détails du rapport... Dieu m'est témoin qu'ils sont de nature à ébranler la raison des hommes de bien. Comme Mary Ann Nichols, Annie Chapman a été égorgée, presque décapitée devrais-je dire dans son cas, et son corps... mutilé. Une bête sauvage n'agirait pas autrement.

Un murmure d'horreur s'éleva de l'assistance.

– ... Malgré les importantes blessures à l'abdomen, peu de traces de sang ont été retrouvées sur place. Rien n'indique que la victime s'est débattue. Nous avons remarqué des contusions sur son cou, ce qui signifie que le meurtrier a sans doute commencé par étrangler sa proie, peut-être par surprise. Plusieurs témoins ont aperçu la victime durant la soirée précédant le meurtre. Il ne semble pas qu'elle était ivre... A-t-elle été droguée ? Nous n'en savons rien. Annie Chapman portait un foulard rouge, mais il semble que cet accessoire ne lui appartenait pas. S'agit-il d'un cadeau de l'assassin ? Nous l'ignorons. Autre détail qui va certainement plaire aux journalistes quand ils l'apprendront : nous avons retrouvé un tablier de cuir soigneusement plié à côté du corps... Cette découverte tendrait à confirmer les témoignages parlant d'un homme vêtu d'un tablier de cuir qui menace les femmes du quartier avec un couteau. Ont été également découverts des objets volontairement placés aux pieds de la victime et de manière ordonnée : deux peignes, un bout d'étoffe dont on ignore la provenance et deux pièces de monnaie. Enfin, selon le docteur Phillips, le meurtrier pourrait posséder des connaissances en anatomie...

Amos leva un bras pour demander la parole.

– Qu'est-ce que cela signifie, inspecteur ? Que le meurtrier est chirurgien, ou médecin ?

Des cris de protestation et d'indignation s'élevèrent. Comment ? Un homme éduqué, un Anglais, commettrait des horreurs pareilles ?

L'inspecteur Swanson, d'un geste, fit revenir le calme.

– Nous l'ignorons, sergent. Nous n'écartons aucune piste. Les médecins légistes ne sont pas d'accord entre eux. Le docteur Henry Llewelyn, qui a examiné la première victime, Mary Ann Nichols, affirme qu'il n'y a pas besoin de connaissances particulières pour... charcuter les corps comme le fait l'assassin. Le docteur Phillips, qui a examiné Annie Chapman, affirme le contraire. L'enquête n'ayant à ce jour rien donné du côté des bouchers, nous pensons dans les prochaines semaines élargir nos recherches à tous les professionnels qui manient des instruments tranchants.

– Et l'arme du crime, inspecteur ?

– Le meurtrier n'a utilisé qu'une seule arme : un couteau long de 13 à 18 centimètres. Un couteau solide à lame épaisse et très bien aiguisé compte tenu des blessures qu'il a infligées à la victime…

Amos remercia d'un signe de tête l'inspecteur. Il fouilla dans sa mémoire : avait-il aperçu lors de sa tournée de la veille au soir des gentlemen susceptibles d'être médecins ou chirurgiens ? Après tout, un certain nombre de riches Londoniens venaient régulièrement s'encanailler dans l'East End, en particulier dans les districts de Whitechapel et de Spitalfields. Il les reconnaissait facilement à leurs belles manières, à leurs chapeaux hauts de forme et à leurs élégantes redingotes. Amos se fit une promesse : les nuits prochaines, quand il effectuerait ses rondes, il ouvrirait l'œil et surveillerait de près les cabs luxueux qui circulaient la nuit.

***

Dimanche 30 septembre 1888

Henry coula un regard en direction de son père. Toute la famille avait pris place autour de la table pour le petit-déjeuner dominical. Alors que les repas étaient toujours chez les Simpson des moments privilégiés pour rire et bavarder, aujourd'hui, seules les fourchettes raclant les assiettes se faisaient entendre. De temps en temps, Jane poussait un soupir à fendre l'âme. Amos, lui, aspirait rageusement de grandes cuillérées de porridge. Oh, Henry savait bien ce qui fâchait ses parents : la veille au soir, il leur avait avoué sa petite expédition dans l'East End et sa rencontre avec Emily. Oh, là, là ! Qu'est-ce qu'il n'avait pas dit ! Henry se mordit les lèvres : il aurait mieux fait de se taire, hein ! Mais non... il fallait toujours qu'il dise la vérité, c'était plus fort que lui ! Enfin, en partie, car il n'avait pas soufflé mot de George Sims. Son père se méfiait des journalistes... En tout cas, depuis qu'il avait rencontré Emily, Henry vivait dans l'obsession de lui apporter à manger et de démasquer l'horrible meurtrier qui sévissait dans les rues de Whitechapel. Des dizaines de questions lui brûlaient les lèvres. Ah, s'il pouvait obtenir de son père quelques scoops !

Amos, tout à coup, posa ses couverts et regarda son fils droit dans les yeux :

– Tu n'as pas idée, Henry, du monstre auquel on a affaire...

Henry prit un air boudeur :

– Je ne suis plus un enfant. J'ai 13 ans ! Je vais bientôt travailler !

– Tu n'es ni policier ni journaliste !

– Tu ne me dis rien ! Alors que tout le monde parle de cette affaire depuis un mois ! Pourquoi ? Je lis les journaux, tu sais ! Alors les détails, je les connais ! En fait, tu ne me dis rien parce que la police ne trouve rien !

– C'est dangereux, Henry ! intervint Jane. Tu ne connais rien de ce... de ce Joseph Braunstein ! Si ça se trouve, c'est lui, l'assassin ! Ou quelqu'un de sa famille !

Henry haussa les épaules.

– Comment tu peux dire ça, maman ? Tu ne connais même pas les Braunstein ! Tu verrais comme ils sont pauvres, et gentils ! Et courageux ! Ils n'ont rien à voir dans tout ça ! Plutôt que d'accuser sans preuve, vous feriez mieux d'écrire au gouvernement pour exiger que les habitants de Whitechapel ne vivent plus dans... dans des taudis !

Amos soupira. Il leva une main en un geste d'apaisement.

– D'accord...

En quelques mots, M. Simpson révéla à son fils ce qu'il avait appris ces derniers jours, en omettant les détails les plus horribles. À la fin de son résumé, il ajouta :

– Il y a quelques jours, de nouveaux éléments nous ont été confirmés. D'abord, le meurtrier a volé les trois bagues portées par Annie Chapman. C'est étrange car ces bijoux, compte tenu de la très grande pauvreté de leur propriétaire, n'avaient sans doute aucune valeur.

– Peut-être que le meurtrier est un collectionneur ? lança Henry un peu étourdiment.

– Henry ! intervint Jane, choquée. Je n'aime pas que tu plaisantes avec cette histoire !

Amos sourit, pour la première fois du repas.

– Sa réflexion n'est pas bête, Jane. Tu ferais un bon policier, mon fils, dit-il. Il y a autre chose : on a retrouvé auprès du corps de la victime des empreintes de pied ainsi que les morceaux d'une enveloppe déchirée datée du 28 août 1888. Cette lettre porte les armes du Royal Sussex Regiment. On distingue aussi le début d'une adresse écrite à la main : « 2 sq... », ce qui signifie sans doute « 2 square... », et une initiale, « M ». Voilà, tu en sais autant que moi.

– C'est quoi, le Royal Sussex Regiment ? demanda Henry.

– Une unité de l'armée britannique qui rassemble les militaires qui se battent en Inde au service de notre reine bien-aimée, Victoria.

Henry réfléchit un instant.

– Tu crois que l'enveloppe appartient au meurtrier ?

– Je n'en ai aucune idée, fils, soupire Amos. La lettre se trouvait dans la poche de la victime. La malheureuse y avait mis deux pilules, des médicaments sans doute... Était-ce un courrier qu'elle avait reçu ? Ou une enveloppe usagée qu'elle a réutilisée ? On ne sait pas.

– Et les empreintes ?

Amos haussa les épaules :

– Il paraît que les Hindous de Londres portent de semblables chaussures à semelles... Des semelles en caoutchouc qui ne font aucun bruit sur les pavés...

***

La nuit était enfin tombée. Une à une, les lumières du 6, Temple Street s'éteignirent. L'homme qui guettait derrière un des arbres bordant la rue sourit. Enfin... À l'étage, il distinguait une ombre derrière la fenêtre. Le petit Henry, sans doute... Un coup d'œil à droite, un coup d'œil à gauche... La voie était libre. À plus de minuit, un dimanche soir, le quartier était déserté, comme il s'y attendait. Le visiteur nocturne traversa la rue à pas furtifs. Il poussa le portillon qui ouvrait sur le jardinet. D'après ses informations, il pouvait accéder à l'arrière de la maison en se faufilant sous la haie.

Chapitre 4

Un double meurtre

Recroquevillé sous une couverture, Henry tendit l'oreille. Les roues du cab cahotaient lugubrement sur les pavés dans le silence de la nuit.

Dans le lointain, un chien aboya furieusement.

– Allez, sors de là...

George Sims tapota l'épaule de son passager clandestin. Henry émergea de dessous la couverture, rouge de sueur.

– Pfff... enfin... Personne ne nous a vus...?

George Sims secoua la tête.

– Non... Tu me fais faire n'importe quoi, gamin... Si ton policier de père savait que je t'emmène à Whitechapel de nuit, il me ferait coffrer, c'est sûr !

Henry désigna la besace remplie de scones et de muffins qu'il emportait avec lui. Il répondit avec un petit air crâneur en prenant une voix adulte :

– Merci... Mme Simpson Mère, n'est-ce pas, n'a pas voulu venir avec moi apporter à manger à Emily... Elle a trop la frousse ! Ne vous inquiétez pas, cher ami, nous serons revenus avant l'aube.

Un quart d'heure plus tard, le fiacre arrivait au croisement de la Whitechapel avenue et de la Commercial Road. Tout à coup, le cocher s'arrêta. Il ouvrit la trappe sur le toit de la voiture et se pencha vers ses passagers :

– Monsieur Sims, chuchota-t-il, je vois un attroupement au bout de la rue...

Le journaliste attrapa Henry par le col :

– Vite, cache-toi !

En un clin d'œil, Henry se glissa sur le plancher et rabattit sur lui la couverture tandis que les chevaux se remettaient à trotter. George ajusta ses gants et le col de sa chemise. Depuis le 10 septembre 1888, des groupes de commerçants de Whitechapel, exaspérés par l'insécurité qui régnait dans leur quartier, se rassemblaient en comités de vigilance présidés par un certain

George Lusk, peintre décorateur de son état. Chaque nuit, ils se relayaient pour surveiller les rues par petits groupes de cinq à six personnes. George réfléchit à toute vitesse. Ce soir, il enquêtait sur les meurtres de Whitechapel pour le compte de son journal *Le Star*. Voilà ce qu'il allait dire aux hommes qui barraient la route s'ils l'interrogeaient sur sa destination. Du reste, c'était la stricte vérité... Le journaliste se pencha par la portière. Peste! Droit devant lui, la rue ressemblait à un tunnel. Il distinguait mal tant la noirceur envahissait l'espace: les becs de gaz n'étaient pas encore légion dans l'East End. Mais... n'était-ce pas des uniformes de la Metropolitan Police qui s'agitaient dans la rue?

Le cab à peine immobilisé, le journaliste sauta du marchepied pour rejoindre l'un des officiers de service de sa connaissance.

– *Good evening, sir*[1], salua gracieusement George en soulevant son chapeau melon. Auriez-vous la bonté de me dire l'objet de toute cette agitation à cette heure si tardive?

L'officier jeta un œil autour de lui avec une mine de conspirateur puis il se pencha vers George:

– Je ne devrais rien vous révéler mais, ce soir, on va peut-être mettre la main sur ce satané «Tablier de Cuir»... Il s'agirait en fait d'un cordonnier ou d'un tailleur.

George ouvrit grand les yeux.

– *You're kidding?!*[2] Mais... comment s'appelle cet homme?

---

1. Bonsoir, monsieur.
2. Vous plaisantez?!

Vous savez que je connais beaucoup de cordonniers et de tailleurs à Whitechapel ! J'adore les chaussures...

L'autre se reprit en tempérant ses propos :

– Attendez, ce n'est pas fait ! Nos équipes sont en train d'interroger les habitants. Ils inspectent les asiles de nuit et les dépôts de mendicité. Vu qu'il y en a plus de 200 dans le quartier, il y a du boulot ! Depuis trois semaines, on a déjà arrêté plus de 30 suspects, vous savez... Mais sans résultat pour l'instant. On n'a pas de preuve... On aura peut-être un peu plus de chance cette nuit. Pour la première fois, nos gars patrouillent dans le quartier avec des chiens de chasse, des vrais limiers qui ont du flair ! C'est le chef, le préfet Warren, qui en a eu l'idée. C'est tout ce que je peux vous dire pour l'instant, monsieur Sims.

George remercia l'officier et remonta dans le fiacre qui repartit aussitôt. *Pour un policier, il n'a pas été très curieux de savoir où je me rendais,* se dit-il. *Il n'a même pas demandé à fouiller le fiacre ! Pas étonnant que Scotland Yard ne parvienne pas à mettre la main sur la «Terreur rouge» de Whitechapel...* George soupira. *Dommage qu'il n'ait pas obtenu l'identité du suspect recherché cette nuit. Il aurait pu publier un article avec des informations fraîches dès le lendemain... Son patron l'aurait félicité !*

– Je peux sortir ? demanda tout à coup une voix étouffée.

Henry ! Il l'avait complètement oublié !

– Mais oui, petit, bien sûr !

Henry s'assit sur la banquette, sa tignasse rouge en bataille. Il jeta un œil par la fenêtre. Ils n'allaient pas tarder à arriver chez M. Braunstein... Le jeune garçon restait silencieux. Ainsi, Scotland Yard recherchait un cordonnier ou un tailleur... Joseph pouvait-il être le coupable? Ou connaissait-il le coupable? Mais non... Pourquoi un cordonnier, d'abord? À cause de ce tablier de cuir si semblable à ceux des bottiers du quartier, que le meurtrier avait laissé à côté du corps d'Annie Chapman? L'indice était un peu mince, tout de même! Et puis, se demanda soudain Henry, pourquoi ce policier n'avait-il pas évoqué ces empreintes de semelles dont lui avait parlé son père? Et ces morceaux d'enveloppe déchirée portant la mention du Royal Sussex Regiment? Si ça se trouve, l'assassin était un soldat ou un officier anglais qui avait servi en Inde!

– C'est bizarre, quand même...

George Sims tourna un regard amusé vers Henry:

– Qu'est-ce que tu marmonnes, gamin?

Le jeune garçon rougit. Sans s'en rendre compte, il avait encore parlé tout haut. Il secoua la tête, confus:

– Je pensais à un truc... Vous croyez que la police est sur la bonne piste?

Le journaliste plissa les yeux, un sourire en coin.

– Hum, hum... Je n'en sais fichtre rien! On peut tout imaginer, n'est-ce pas? Moi, j'ai plein d'idées. Tiens, par exemple... Ce foulard rouge que portait Annie Chapman, tu te souviens?

Eh bien, on m'a dit que les adorateurs de la déesse Kali, en Inde, en possèdent de semblables... Or, les adorateurs de Kali sont une secte d'horribles tueurs qui sévit dans notre belle colonie. Qui sait, notre tueur est peut-être un de ces Hindous qui vivent à Londres? Cette hypothèse pourrait être intéressante, n'est-ce pas? D'autant plus que j'ai récupéré il y a quelques jours un témoignage capital. Une femme du quartier, Elizabeth Darrell-Long, a bien voulu me répéter ce qu'elle a dit aux policiers après le meurtre d'Annie Chapman. À 5 h 30, le matin du 8 septembre, elle a aperçu la victime en compagnie d'un homme à la hauteur du 29 Hanbury Street. C'est-à-dire à l'heure et sur le lieu du crime... Ce qui me fait penser que ce témoin a très certainement vu le meurtrier! Malheureusement, l'homme tournait le dos, Elizabeth n'a pas pu voir son visage. Mais elle en a fait une description assez précise : il portait un chapeau de chasse marron et un manteau de couleur sombre. Il semblait âgé de plus de 40 ans et avait une peau plutôt mate, elle l'a vu à ses mains... Cela pourrait coller à la description d'un Hindou, non? Il était un peu plus grand qu'Annie Chapman, qui mesurait 1,52 mètre. On peut donc envisager que notre homme mesure entre 1,60 et 1,65 mètre. Mais je bavarde, je bavarde...

Le cab ralentissait devant une impasse. George se pencha par la portière.

– On arrive... Ton amie Emily aura peut-être des choses intéressantes à te dire. Tu as entendu le policier. Je te confie une mission d'importance : tâche de découvrir le nom du cordonnier-tailleur que Scotland Yard recherche ce soir. Donne à Emily la description que je viens de te faire. On ne sait jamais, elle connaît du monde et c'est une petite futée... Je reviens te chercher ici dans une demi-heure. Moi, je vais à 300 mètres d'ici, au Bricklayers' Arms, le pub de la Berner Street... J'ai un rendez-vous TRÈS important en rapport avec notre affaire.

Henry sauta du fiacre, les jambes flageolantes. Le journaliste lui avait promis de l'accompagner jusque devant la porte du bottier avant de se rendre à son rendez-vous secret mais il avait manifestement changé d'avis. Pas question de flancher devant lui !
– OK, sir !

L'air bravache, Henry salua son chauffeur avant de s'enfoncer dans l'impasse. La cour de Dutfield's Yard où résidaient Emily et les Braunstein n'était qu'à quelques mètres devant lui mais il ne put s'empêcher de presser le pas sitôt le cab disparu au coin de la rue. Une petite pluie fine et pénétrante commençait à tomber. Le jeune garçon progressait dans une obscurité presque totale, à part ce faible halo de lumière, là-bas, sur la gauche. Un bec de gaz, sûrement... Soudain, Henry s'immobilisa. La lueur se balançait et balayait les murs lépreux. Les yeux exorbités, le jeune garçon comprit soudain que quelqu'un avançait silencieusement dans sa direction en tenant une lanterne. Affolé, il regarda en tous sens. Là, à 2 mètres sur sa droite, un passage large d'un mètre à peine s'ouvrait entre deux maisons. Il s'y précipita et se jeta littéralement à plat ventre, le cœur au bord des lèvres. Il tendit le cou : une femme légèrement ivre s'avançait en titubant sur le trottoir. Elle chantonnait tout bas d'une voix éraillée et tenait la lampe dans une main. Dans l'autre, un petit paquet de noix de cajou. Sans voir l'ombre furtive qui se dissimulait à quelques mètres derrière elle... Paralysé, Henry se recroquevilla, ferma les yeux et se boucha les oreilles.

***

Un peu avant une heure du matin, le 30 septembre 1888, Amos Simpson ne se doutait pas que son fils se terrait à quelques mètres de lui. Depuis le début de la soirée, le sergent participait à une vaste opération de traque dans un secteur compris entre la Berner Street, Dutfield's Yard et Mitre Square pour retrouver un certain John Pizer, bottier de son état. Le signalement de cet individu à l'attitude jugée étrange avait été transmis à Scotland Yard par un courrier anonyme quelques jours plus tôt. Amos ne savait que penser de toutes ces dénonciations qui parvenaient depuis un mois à l'administration. Il y avait tellement de suspects possibles : ce William Pigott, qui ressemblait à la description du fameux « Tablier de Cuir » ; ou encore cet ancien boucher, Joseph Issenschmidt, qui avait finalement été interné dans un asile sans preuve contre lui… Pour l'heure, Amos avait bien d'autres préoccupations en tête. Il se félicitait d'être parvenu à se défaire d'Edward en le persuadant de prospecter de son côté durant une petite heure. Le temps d'accomplir ses affaires… Les circonstances l'avaient servi : le chef ne leur avait pas imposé l'un de ces chiens de chasse nouvellement arrivés dans le service.

Le sergent Simpson revenait vers le carrefour où il avait quitté Edward Watkins quand soudain, il entendit plusieurs coups de sifflets. Le policier accéléra le pas puis finit par courir pour rejoindre un attroupement qui s'était formé à l'entrée de Mitre Square.

– Qu'est-ce qui se passe ? souffla-t-il en arrivant.

Sans attendre la réponse, Amos se fraya un chemin jusqu'à son collègue accroupi au-dessus d'une masse informe de vêtements. Machinalement, il consulta sa montre : 1 h 50. L'agent Watkins se releva, le visage blême :

– Elle est morte il y a moins d'une demi-heure, son corps est encore chaud…

Amos se pencha sur la femme allongée sur le dos. Ce qu'il vit lui parut étrangement familier et le mit mal à l'aise. Le visage très abîmé, les blessures au ventre et cette folie à l'œuvre, acharnée, brutale, frénétique. Incompréhensible… Il remarqua un joli châle à motifs de marguerites qui traînait dans le caniveau à côté de la victime. Un tissu de belle facture pour une femme de cette condition… Sans doute le cadeau d'un client fortuné. Puis le petit bonnet de paille noire décoré de velours et la robe verte. Encore une fois, peu de sang avait coulé sur le sol...

Le sergent Simpson se redressa et fit évacuer les badauds qui commençaient à affluer et à crier.

– Le médecin légiste a été prévenu ? demanda Amos.

Watkins acquiesça mais il ajouta aussitôt :

– Une autre femme a été assassinée vers Dutfield's Yard cette nuit. C'est un vendeur ambulant qui l'a découverte, il y a un peu plus d'une heure. J'ai croisé l'agent Harvey, qui a donné l'alerte. Tu n'as rien vu de suspect ?

Amos se figea quelques secondes. Pourquoi son collègue lui posait-il cette question ? Puis il se souvint... Mais oui. Il avait assuré à Watkins qu'il patrouillerait dans les rues autour de Dutfield's Yard pendant que lui se chargerait de surveiller la partie est du quartier.

– Non, rien... Je n'ai rien vu de bizarre.

Watkins n'insista pas et Amos laissa échapper un petit soupir de soulagement. Il ne manquerait plus qu'Edward se doute de quelque chose...

Chapitre 5

Des lettres signées Jack l'Éventreur

Le 1ᵉʳ octobre 1888

Jane Simpson, assise sur le canapé un mouchoir à la main, essuya ses yeux rougis pour la dixième fois. Elle regarda sans le voir le jardin par le bow-window du salon avant de se tourner de nouveau vers son mari qui allait et venait comme un lion en cage au milieu de la pièce.

– Mais comment est-ce possible ? gémit-elle. Comment Henry a-t-il pu être convoqué à la police ? Qu'est-ce qu'il a fait ?

Amos lui fit face, le regard dur, et se mit à hurler :

– Il a fait qu'il a échappé à ta surveillance la nuit du 29 au 30 septembre, qu'il s'est baladé de nuit dans Whitechapel et qu'il a sans doute croisé le meurtrier ! Voilà ce qu'il a fait ! Quand un collègue du district de Spitalfields l'a découvert, il se cachait dans un renfoncement de la rue où cette femme a été assassinée !

Il s'interrompit. Ne pas s'énerver et expliquer, se dit-il mentalement. Il aspira une grande goulée d'air.

– Jane, excuse-moi... Henry a échappé à un grand danger. J'ai eu très, très peur quand le commissariat central m'a prévenu... Je sais que ce n'est pas de ta faute. Tu dormais et j'étais parti. Mais il faut que tu saches quelque chose. J'ai beaucoup réfléchi à tous ces meurtres et je crois comprendre comment l'assassin s'y prend.

Jane poussa un petit cri en serrant plus fort son mouchoir.

– Plusieurs détails m'ont frappé dans les rapports des médecins légistes, continua Amos. On retrouve peu de sang sur les lieux des crimes et, à chaque fois, le meurtrier agit très vite ! Pour Annie Chapman, entre l'heure estimée de l'attaque et le moment où elle a été découverte, il s'est passé tout au plus un quart d'heure ! Un quart d'heure pour tuer et découper sa victime ! Comment est-ce possible, avec tous les policiers qui tournent dans le quartier ? J'en déduis donc que ces femmes ont été assassinées ailleurs qu'aux endroits où elles ont été retrouvées. Et cet ailleurs, selon moi, c'est dans des fiacres. Il n'y a pas mieux qu'un cab en train de rouler pour trucider une personne en toute discrétion. Une fois commis son massacre, le meurtrier n'a plus qu'à se débarrasser du corps dans une ruelle déserte.

Jane se remit à sangloter pendant de longues minutes puis finit par demander :

— Mais qu'est-ce que notre fils est allé faire dans ce quartier affreux, de nuit ? Et comment a-t-il connu ce reporter qui l'y a amené ?

Amos soupira, soudain calmé. Son fils, au fond, lui ressemblait. Quand il avait une idée dans la tête...

— Il a voulu apporter à manger à son amie Emily. Il paraît qu'il t'avait demandé de l'accompagner et que tu as refusé...

Mme Simpson hocha la tête, la mine déconfite. C'était vrai.

— ... et il a rencontré ce journaliste le premier jour où il est allé à Whitechapel, continua Amos. Je dirai deux mots à ce monsieur quand Henry daignera me donner son nom. Pour l'instant, il refuse, il a peur que je lui crée des problèmes...

Pendant quelques secondes, le silence retomba dans la pièce, chacun ruminant ses pensées. La rumeur de la rue – sabots sur les pavés, cris de cocher, battements familiers de la cloche de l'église toute proche, pas rapides de femmes pressées – parvenait assourdie. De loin, la voix d'un vendeur de journaux à la criée retentit, de plus en plus fort à mesure qu'il remontait la Temple Street et s'approchait de la maison. « Double meurtre à Whitechapel ! Édition

spéciale! Des lettres signées Jack l'Éventreur envoyées à la police!
Édition spéciale!»

– Je vais chercher le journal, dit Amos, je reviens.

La une du *Star*, ce jour-là, fit l'effet d'une bombe dans la capitale
britannique. Non seulement le boucher de Whitechapel demeurait
insaisissable, mais il se moquait ouvertement de Scotland Yard, révé-
lait le journaliste George Sims dans un long article. Le 27 septembre
1888, la Centrale News Agency avait reçu un courrier pour le moins
étrange dont le quotidien reproduisait la totalité[1] :

«25 septembre,

Cher Boss,

J'entends dire que la police m'a attrapé, mais je ne suis pas
encore sous les verrous. Je ris beaucoup quand ils prennent
leur air intelligent pour affirmer qu'ils sont sur la bonne voie.
Cette blague concernant "Tablier de Cuir" m'a donné une crise

---

1. Cette lettre, écrite à l'encre rouge, est l'un des trois courriers considérés comme authentiques
par certains historiens, c'est-à-dire réellement écrits de la main de l'assassin. Elle est conservée
dans les archives de Scotland Yard. Elle est reproduite fidèlement, à quelques détails près,
indiqués en italique. Elle avait disparu des archives, jusqu'à ce qu'un expéditeur anonyme
l'envoie à Scotland Yard en 1987, avec des photos inconnues des victimes de Jack l'Éventreur
(Source : Stéphane Bourgoin, *Le livre rouge de Jack l'Éventreur*).

de fou rire. J'en ai après les *femmes de mauvaise vie* et je ne m'arrêterai jamais de les *attaquer* sauf quand on me passera les menottes. Mon dernier boulot a été magnifique. Je n'ai pas laissé le temps à la femme de *crier*. [...] J'aime mon travail et ai envie de recommencer. Vous entendrez bientôt à nouveau parler de moi et de mes petits jeux amusants. J'avais mis de côté un peu de cette substance rouge dans une bouteille de bière au gingembre pour m'en servir afin de vous écrire, mais c'est devenu épais comme de la colle et je ne peux pas l'utiliser. L'encre rouge est suffisante, j'espère. Ha. Ha. La prochaine fois, je couperai les oreilles de la dame et les enverrai aux officiers de police juste pour le plaisir. Gardez cette lettre sous le coude jusqu'à ce que je me remette au travail tout de suite si j'en ai l'occasion. Bonne chance.

Votre dévoué Jack l'Éventreur.

Je m'excuse si je donne mon nom de plume. »

Qui que soit le véritable auteur de la lettre, songea Amos, il était manifestement au courant de l'arrestation récente de plusieurs dizaines de suspects. Le sergent parcourut rapidement les autres articles. On y rapportait les noms et professions des deux femmes assassinées le 30 septembre, ainsi que les premiers éléments de l'enquête :

« Elizabeth Stride, la première victime de la soirée, 44 ans, mère d'une petite fille, habitait dans une pension de Spitalfields.

De nombreux témoins l'ont aperçue dans le quartier : à 23 heures avec un petit monsieur à moustache noire et favoris, vêtu d'une jaquette et d'un chapeau melon ; vers 23 h 45, avec un client ventripotent en habit noir portant une casquette de marin ; vers minuit et demi, avec un jeune homme d'environ une trentaine d'années en manteau noir et chapeau de chasse à bords de feutre rigide... Un témoin, Israël Schwartz, a rapporté une drôle de scène survenue vers minuit quarante-cinq. Voici comme il la raconte : *"Je traversais la Berner Street, tout près de Dutfield's Yard, quand j'ai vu un homme s'arrêter et parler à une femme [Elizabeth Stride] sous un porche. Une dispute a éclaté entre eux et l'homme a jeté la femme à terre. À quelques mètres de là, j'ai remarqué un autre homme. Il observait la scène tout en allumant sa pipe. Je dirais qu'il était âgé d'environ 35 ans, avec une chevelure châtain clair et un teint rougeaud. Il mesurait 1,80 mètre, et portait un vieux chapeau en feutre noir à larges bords et un pardessus sombre..."* L'agresseur de la femme connaissait-il l'homme à la pipe ? On l'ignore. En apercevant Israël Schwartz, l'agresseur a crié dans sa direction : "Lipski !" C'est le nom d'un assassin qui a sévi il y a quelques années à Londres... Pris de peur, Schwartz s'est mis à courir et l'homme à la pipe l'a suivi pendant un temps... À l'évidence, l'agresseur a voulu faire diversion... »

Amos soupira. Les journalistes n'imaginaient pas encore l'inimaginable... Que Jack l'Éventreur puisse bénéficier de complicités... Il poursuivit sa lecture :

«... Le monstre n'a pas eu le temps de découper Elizabeth Stride. L'on peut penser qu'il a été dérangé. Est-ce la raison pour laquelle il a frappé une deuxième fois dans la nuit ? La seconde victime, retrouvée un peu plus d'une heure après Elizabeth Stride, s'appelait Catherine Eddowes, 45 ans, 1,50 mètre, cheveux auburn, yeux noisette. La malheureuse a été assassinée de manière plus sauvage encore que les précédentes victimes. Son cadavre affreusement lacéré de coups de couteau a été découvert vers 1 h 40 à Mitre Square. Cette petite cour sans éclairage d'environ 30 mètres de long sur 25 de large et bordée d'entrepôts et d'habitations est un véritable coupe-gorge auquel on accède par un lacis de ruelles, de passages et d'impasses. Le plus extraordinaire est qu'à peu près à l'heure du crime, un agent de police est passé précisément à cet endroit et n'a évidemment rien vu, rien entendu malgré sa lanterne et ses grandes oreilles. À moins que Jack l'Éventreur ne soit doté de pouvoirs surnaturels qui le rendent invisible, on ne peut que déplorer la nullité de notre police et exiger sur-le-champ la démission du préfet Warren. »

Amos referma le journal, satisfait. *Il avait fait du bon travail...* Jack l'Éventreur entrait enfin en scène et il en espérait de grands changements. Qui sait, peut-être l'affaire finirait-elle par provoquer la démission du préfet Warren, cet homme brutal tellement détesté de ses hommes...

***

Le 8 octobre 1888

Quelques jours après ces évènements, Henry était assis au salon en compagnie de Mme Simpson. Le jeune garçon se remettait tant bien que mal de ses émotions. Il n'avait pas renoncé à retourner à Whitechapel, mais cette fois il irait de jour et accompagné de sa mère. Jane lui avait enfin promis d'aider Emily ! Cependant, Henry savait qu'il ne se contenterait pas de cette bonne action. Il désirait désormais changer le destin des habitants des quartiers pauvres de Londres. Il ne supportait plus de lire à longueur de colonne tous ces articles décrivant ces meurtres affreux, la misère et l'injustice. Il devait agir pour faire changer un jour leurs conditions de vie ! Davantage que policier ou journaliste, il s'imaginait plus tard en homme politique influent. Peut-être même en Premier ministre...

Le heurtoir de la porte d'entrée l'interrompit dans sa rêverie. Jane Simpson abandonna son ouvrage de broderie pour aller ouvrir et tomba nez à nez avec Edward Watkins.

– *Good morning*[1], Edward ! salua joyeusement Jane. Amos est sorti mais entrez ! Je vous offre une tasse de thé.

Après les salutations d'usage et la première gorgée de thé avalée, Edward se tourna vers Henry avec une expression un peu embarrassée :

---

1. Bonjour.

— Henry, c'est notre chef, Donald Swanson, qui m'envoie. Il a besoin de quelques précisions à propos de ton témoignage sur ce qui s'est passé l'autre soir.

Henry frissonna à cette simple évocation. Tout s'était déroulé si vite et il avait eu si peur... Une terreur sourde, poisseuse. Pour la première fois de sa vie, il s'était senti sans défense, impuissant, la gorge sèche et des papillons affolés dans l'estomac. Ses jambes étaient devenues aussi molles que celles d'un pantin et son cœur s'était emballé jusqu'à l'étouffer... Puis comme par magie, l'arrivée d'un policier dans l'impasse avait fait disparaître la silhouette fantomatique qu'il avait cru apercevoir. La femme – Elizabeth Stride, la première victime de la soirée – avait salué l'agent d'une voix criarde puis il ne l'avait plus vue : elle s'était littéralement volatilisée, avalée par la nuit, dans un silence total. Henry était resté tétanisé...

— Pendant combien de temps es-tu resté sans bouger ? Essaie de t'en souvenir.

Henry réalisa qu'Edward lui posait une question.

— Je ne sais pas, sir... C'était comme si le temps n'existait plus.

Watkins nota sa réponse puis en le regardant droit dans les yeux :

— Décris-moi le policier qui est arrivé dans l'impasse...

— Oh, je ne l'ai pas vu, sir ! Il faisait trop sombre. La femme tenait une lanterne et le policier aussi mais ils ne la portaient pas à la hauteur de leur visage. Ils se sont croisés très vite. Moi, je n'ai plus regardé à partir de ce moment-là, à cause de cette silhouette que j'ai cru voir et qui m'a fait très peur.

Jane se leva à cet instant pour aller chercher quelques biscuits. Dès qu'elle eut le dos tourné, Edward Watkins se pencha et murmura à l'oreille d'Henry :

– Dis-moi, réfléchis bien avant de répondre. Le policier que tu as croisé pourrait-il être ton père ?

Comme Henry le fixait stupéfait, il ajouta :

– Nous effectuons nos rondes par deux mais, le soir du double meurtre, Amos s'est absenté une heure pour aller inspecter Dutfield's Yard. Nous ne savons pas ce qu'il a fait dans ce laps de temps, aucun des collègues ne l'a croisé...

Dutfield's Yard. Le lieu du premier crime commis ce soir-là... Le cœur battant, Henry tentait de comprendre ce que sous-entendait le policier. Que voulait-il savoir ? Mais il répondit :

– Je ne peux vraiment pas vous dire, sir.

Edward Watkins se leva alors que Jane revenait de la cuisine, un plateau rempli de scones et de muffins.

– Ma chère Jane, vraiment, c'est gentil, mais je dois partir, s'excusa Edward.

L'agent prit congé. De retour dans le salon, Jane haussa les épaules en portant à sa bouche un scone parfumé à la cannelle :

– Tant pis pour lui ! Il ne sait pas ce qu'il rate !

***

En début d'après-midi, Jane sortit pour rejoindre une amie. Elle insista longuement pour emmener son fils avec elle, mais Henry prétexta un mal de crâne persistant. Mme Simpson lui fit jurer de ne pas sortir et le jeune garçon n'eut aucun mal à lui promettre tout ce qu'elle voulait entendre. Bien sûr qu'il ne mettrait pas le nez dehors aujourd'hui, il avait bien mieux à faire. Posté derrière le bow-window, il regarda sa mère refermer derrière elle le portillon du jardin et s'éloigner dans la rue. Il attendit un moment pour s'assurer qu'elle ne revenait pas sur ses pas – Jane était un peu étourdie, elle oubliait régulièrement son parapluie, son porte-monnaie ou son chapeau.

Henry calcula qu'il disposait environ d'une heure. Il commença par le bureau de son père. C'était une petite pièce sombre aux murs garnis de longs rayonnages. Amos, grand lecteur, y accumulait toutes sortes d'ouvrages, la plupart consacrés à l'histoire de la Grande-Bretagne et à la royauté. Un petit bureau en bois d'acajou – un meuble précieux qu'il avait hérité d'un grand-père ayant servi en Inde trente ans plus tôt – occupait un angle de la pièce. À l'opposé, un vieux fauteuil de cuir Chesterfield, tout capitonné, dans lequel Amos aimait passer des heures à lire en robe de chambre et savates. À vrai dire, Henry ne savait pas ce qu'il cherchait ni où chercher. À cet instant, l'idée que son père puisse être impliqué d'une manière ou d'une autre dans ces meurtres affreux ne lui avait pas effleuré l'esprit. Il ouvrit tous les tiroirs, inspecta les étagères et fouilla dans la corbeille à papier.

Il souleva le tapis de laine et les cadres anciens accrochés aux murs, se mit à quatre pattes pour regarder sous le bureau, renifla l'encrier et feuilleta un petit carnet posé sur le sous-main. Rien... De plus en plus fébrile, il retourna au salon. Soudain, il pensa à ce petit cagibi sous la cage d'escalier. Jane y rangeait ses affaires de couture et il avait vu parfois Amos y entreposer des papiers. Avec précaution, il tira le petit verrou qui fermait le cagibi tout en jetant un coup d'œil à l'horloge. Bientôt 15 heures... Il n'y avait dans le réduit rien d'extraordinaire. Il reconnut la petite boîte rose bonbon de sa mère, le fatras d'aiguilles à tricoter et de pelotes, le mètre et la petite paire de ciseaux ciselé. Dans un sac en papier, Jane avait rangé des pulls et des paires de chaussettes en cours de réalisation et, dans un autre, des coupons de tissus de velours. Henry adorait la douceur de cette matière, il ne résista pas à plonger la main dans le sac. Il la retira aussitôt : le velours, à certains endroits, paraissait désagréablement rigidifié. Il tira dessus et hurla quand il vit les larges taches de sang séché.

Chapitre 6

Des révélations fracassantes

En tremblant, Henry sortit complètement le tissu ensanglanté et découvrit un grand châle. Une main l'avait roulé en boule, le côté taché vers l'intérieur pour éviter de salir les autres coupons de tissu. À qui appartenait-il ? Le sang datait de quelques jours et personne n'avait songé à le nettoyer, comme s'il avait été dissimulé à la hâte. Henry le remit dans le sac, referma le cagibi et réfléchit. Il devait de toute urgence parler à George Sims, lui seul pouvait l'aider. Oui, mais comment faire ? Tout à coup, il eut une idée. Il se rua dans le bureau de son père, arracha une feuille du carnet et gribouilla un mot qu'il laissa sur la table du salon à l'attention de sa mère. Il se rendit à la poste la plus proche pour envoyer un télégramme et prit la direction de Whitechapel sous une pluie battante.

***

Une heure plus tard, Henry était assis dans un pub en compagnie d'Emily. Les deux enfants attendaient fébrilement le journaliste du *Star* sans savoir s'il avait reçu le télégramme. Malgré les circonstances, Henry était heureux de revoir Emily. Son amie, pourtant, semblait soucieuse. Quelque chose la tracassait. Ces derniers temps, elle aussi avait vécu des moments difficiles. Dans les jours suivant la nuit du double meurtre, les agents de police avaient fouillé de nombreuses maisons de Whitechapel. Des dizaines d'affiches reproduisant la lettre signée Jack l'Éventreur avaient été placardées sur les murs pour tenter d'en identifier l'auteur. Le quartier sombrait dans un climat de paranoïa et plus personne n'osait sortir le soir. Il ne se passait pas un jour sans que des centaines d'habitants manifestent bruyamment pour réclamer en urgence un meilleur éclairage ou la destruction des immeubles et des cours les plus insalubres. Certains exigeaient même du gouvernement qu'il propose une récompense à toute personne qui aiderait à capturer l'assassin. Sur les devantures de leurs boutiques, les commerçants étalaient des slogans haineux à l'encontre des nombreux étrangers poussés par la misère dans ce quartier. Chacun soupçonnait son voisin et les juifs, en particulier, étaient régulièrement attaqués. La seule évocation de ces évènements mettait Emily en colère. « Que les gens sont bêtes, à être racistes ! », ne cessait-elle de répéter. Henry tentait de la réconforter mais en vain. À la fin, la fillette finit par révéler à Henry ses inquiétudes. Joseph Braunstein avait été interrogé au commissariat de police pendant plusieurs heures. Comme Henry lui en demandait la raison, elle lui apprit que Joseph connaissait bien John Pizer, l'homme recherché la nuit du double meurtre. Plus qu'un ami, il était devenu un frère, une aide précieuse pour la famille Braunstein. Or, cette nuit-là, quand Joseph avait appris que John était recherché, il avait envoyé l'un de ses enfants le prévenir. Le gamin avait trouvé porte close alors que John leur avait assuré vouloir se reposer. Était-il allé boire un coup ? S'amuser ? Emily fondit soudain en larmes, elle si courageuse d'habitude.

– Oh, Henry ! hoqueta-t-elle entre deux sanglots, j'ai tellement peur !

Henry se précipita pour la consoler. S'il le fallait, s'il ne pouvait faire confiance à personne, si son père ou ce John Pizer étaient des monstres à double visage comme ce Mister Hyde et Docteur Jekyll dont il avait découvert l'histoire au tout début de l'affaire Jack l'Éventreur, il s'enfuirait avec Emily, loin de Whitechapel et de Londres !

– Eh bien, eh bien, c'est quoi, ce gros chagrin ?

George Sims venait de surgir comme par enchantement. Pour un peu, Henry lui aurait sauté au cou tant il se sentit soulagé ! Délicatement, le journaliste retira son chapeau melon trempé par la pluie et son manteau à pèlerine puis il posa sa canne sur la table avant de se glisser sur la banquette. D'un geste, il commanda à une serveuse qui passait par là une pinte de bière avant de se tourner vers les deux enfants.

– Qu'est-ce qui se passe ? demanda-t-il en regardant tour à tour Henry et Emily.

Le jeune garçon prit une grande inspiration et raconta les derniers évènements. Les soupçons de l'agent Watkins, l'absence de son père pendant une heure durant la nuit du double crime et le châle ensanglanté... À mesure qu'il parlait, George Sims se faisait plus attentif. Quand Henry se tut enfin, il murmura, comme pour lui-même :

– Il n'y a qu'une seule façon de connaître la vérité... J'ai un plan, les enfants...

***

Le soir même, à 18 heures

La devanture du Bricklayers' Arms jetait des lumières crues sur le pavé. George Sims lança un coup d'œil à l'intérieur du pub par la large baie vitrée. Des dizaines de clients, boutiquiers,

marins, employées de maison, ouvriers discutaient avec animation, en couple ou en groupe. Ça criait, s'interpellait à qui mieux
mieux à travers la salle, par-dessus les têtes et sans se soucier
de déranger les voisins. Dans cette joyeuse cohue, le reporter
remarqua immédiatement la silhouette solitaire au fond à gauche
de la salle, le dos tourné à l'entrée. Ponctuel, son informateur
était attablé devant une pinte de bière et l'édition du jour du
journal *Le Star* posée en évidence sur la table. George poussa la
porte, salua le patron de l'autre côté du comptoir et se dirigea
sans hésiter vers l'homme. Son visage s'éclaira d'un demi-sourire
ironique. L'inconnu portait le même habit de marin et la même
casquette à visière que lors de leur dernière entrevue. À croire
qu'il manquait d'imagination en matière de déguisement...
Mais qu'importe, se dit George. Il lui avait rendu un fier service.
Grâce à lui, il avait publié le plus beau scoop de sa carrière ! Cette
nuit-là, au moment où Elizabeth Stride et Catherine Eddowes
tombaient sous le couteau du monstre, son mystérieux interlo-
cuteur lui transmettait la copie de la première lettre signée Jack
l'Éventreur reçue quelques jours plus tôt par la Centrale Agence
News. Le journaliste avait appris depuis que Charles Warren en
personne avait contacté le patron de l'agence pour en interdire la
diffusion auprès des journaux. Dans le contexte politique actuel
et compte tenu de la détestation dont il faisait l'objet de la part
des policiers et des journalistes, le patron de Scotland Yard n'avait
aucun intérêt à ce qu'elle soit rendue publique. Le préfet craignait

plus que tout l'hystérie collective engendrée par ces meurtres à répétition...

Cette fois, George Sims n'avait pas attendu que l'inconnu se manifeste comme toutes les fois précédentes. Il lui avait envoyé un télégramme, avec le message convenu entre eux quand ils avaient besoin de se voir : « Urgent – RDV habituel – Aujourd'hui, 18 heures. »

– Qu'est-ce que vous voulez ? demanda brusquement l'inconnu. Cette procédure est inhabituelle. J'espère que vous avez une bonne raison...

George prit son courage à deux mains :

– J'ai une faveur à vous demander... Si je vous ai contacté aujourd'hui, ce n'est pas pour parler des meurtres.

– Quoi, alors ?

– Eh bien... J'ai besoin d'informations concernant un... policier.

– Je refuse de communiquer quoi que ce soit concernant les hommes de Scotland Yard, vous le savez, coupa froidement l'inconnu en se levant. Si vous insistez, vous n'obtiendrez plus jamais aucune information de ma part. Dommage pour vous, d'ailleurs, parce que j'ai du nouveau...

George le retint par le bras.

– Ok, ok... Je n'insiste pas. Qu'est-ce que vous avez de neuf en magasin ?

– La nuit du double meurtre, un policier a arrêté un fiacre vide qui tournait dans le quartier de Whitechapel, au niveau du square

Mansfield. Le cocher a prétendu qu'il attendait son client, un proche de la famille royale. Il a d'abord refusé de révéler son nom mais sur l'insistance de l'agent, il a fini par lâcher le morceau : il s'agissait de William Gull, le chirurgien de la reine.

George hocha la tête, la mine dubitative. Quoi d'étonnant à ce qu'un de ces messieurs de la Cour arpente les rues de Whitechapel ? Ils étaient des milliers à chercher la compagnie des femmes légères.

– Attendez, ce n'est pas tout... Le policier a été sommé de n'établir aucune note sur cet évènement, notamment sur le fait que le fiacre se trouvait square Mansfield. Or, si vous vous souvenez, une lettre déchirée portant la mention 2, sq. et la lettre M a été retrouvée près du corps d'Annie Chapman.

George écoutait en s'efforçant de réfléchir.

– Si je comprends bien, vous pensez que cette lettre a été expédiée à Annie Chapman par son futur bourreau depuis le square Mansfield ? Et que ce bourreau pourrait avoir un rapport avec le chirurgien de la reine ?

Avant de répondre, l'inconnu jeta un œil vers la porte d'entrée du pub puis se pencha sur la table pour murmurer à voix basse :

– Je l'ignore... Mais c'est une piste que vous devriez peut-être suggérer dans l'un de vos articles, monsieur Sims...

L'entretien était terminé. L'inconnu se redressa. Il n'avait plus rien à dire pour ce soir.

– En tout cas, inutile de perdre du temps à chercher un coupable du côté des policiers de terrain, continua-t-il. Vous faites fausse route...

George soupira, l'air soucieux.

– J'ai promis à Henry de l'aider, pourtant. La police soupçonne le père de cet enfant d'être Jack l'Éventreur. Vous êtes sûr que vous ne pouvez rien me dire sur une enquête interne qui concernerait Amos Simpson?

Une expression de profonde stupéfaction se peignit alors sur le visage de l'inconnu.

– Mais... je suis Amos Simpson!

Chapitre 7

Un complot royal

Passée la surprise, Amos Simpson sentit une méchante bouffée de colère l'envahir. Ainsi, le journaliste qu'il informait depuis des semaines, le reporter à qui il avait donné l'occasion de se faire remarquer par un scoop retentissant était celui qui avait exposé Henry à l'horreur? Le policier se retint de lui sauter à la gorge. Il ne tenait pas à se faire remarquer en public... Il ne manquerait plus qu'il se fasse embarquer et que son chef, qui avait toute confiance en lui, ne découvre le pot aux roses. Amos ne se sentait pas particulièrement fier de trahir ainsi le secret professionnel.

Il s'était glissé à contrecœur dans la peau d'un informateur du *Star* dès le début de l'affaire Jack l'Éventreur. Mais à ses yeux, il agissait pour une bonne cause. Le policier soupçonnait un vaste complot du silence, une complicité honteuse entre l'entourage de la reine et le fou qui hantait les ruelles de Whitechapel. Et puisque George Sims connaissait désormais son identité, Amos songea qu'il devait lui révéler tout ce qu'il avait appris ces dernières vingt-quatre heures. Du reste, il n'avait plus guère le choix, pour son propre salut : quelqu'un, à Scotland Yard, peut-être même Donald Swanson, l'inspecteur en chef, le soupçonnait, lui, Amos Simpson d'être Jack l'Éventreur... Quelle bonne blague !

Le policier prit une grande inspiration avant de prendre la parole, les sourcils froncés :

– Croyez bien, monsieur Sims, ce n'est pas de gaieté de cœur que je vous révèle ce qui va suivre. Vous avez trahi ma confiance en entraînant mon fils dans une aventure qui aurait pu très mal tourner...

Le journaliste prit une mine contrite.

– Je vous présente mes excuses, Amos. Il est vrai que j'aurais dû faire preuve d'une plus grande prudence. Mais d'abord, j'ignorais qu'Henry était votre fils. Ensuite, c'est un garçon au cœur très généreux. Il a été sincèrement touché par le sort de la petite Emily. Il m'avait fait part de son désir de lui venir en aide. Il a tellement insisté que j'ai voulu lui permettre d'agir sur ce monde injuste dans lequel nous vivons.

Amos hocha la tête.

— N'en parlons plus, voulez-vous ? J'accepte vos excuses. Je convaincrai mon épouse, Jane, d'héberger Emily sous notre toit, pour lui assurer protection et éducation. Mais revenons à ce qui nous occupe... J'ai appris hier un évènement soigneusement dissimulé par les autorités, qui me pousse à penser que Jack l'Éventreur bénéficie effectivement de complicités au plus haut niveau de l'État...

George Sims, inquiet, tenta de l'interrompre.

— Mais comment...

— Tssst, tsssst ! Écoutez et vous poserez des questions quand j'aurai fini. Il y a quelques semaines, un Américain a rendu visite au directeur du Museum de pathologie[1]. Il souhaitait se procurer... des organes humains. Il était prêt à payer 20 livres pour chaque spécimen. Il a prétendu qu'il en avait besoin pour illustrer des articles médicaux. Le directeur a refusé. L'Américain a insisté. Il s'est présenté comme un étudiant en médecine, bien qu'il ait depuis longtemps passé l'âge d'étudier. Il voulait que les organes soient conservés dans de la glycérine pour qu'ils lui soient envoyés en Amérique. On sait qu'il a fait d'autres demandes ailleurs, auprès d'autres établissements médicaux. Tous ont refusé.

---

1. Musée spécialisé dans l'explication des maladies.

– Vous savez comment s'appelle cet individu ? À quoi il ressemble ? demanda George en écarquillant les yeux.

Amos hocha la tête.

– Il s'appelle Francis Tumblety.

– Et... vous pensez qu'il est le tueur de Whitechapel ?

– Nous n'en savons rien. Francis Tumblety fait l'objet d'une étroite surveillance de la part de nos services. C'est un individu étrange, dont la santé mentale pose question. Sa détestation des femmes est notoire. Nous n'avons pas pu visiter l'appartement qu'il possède à Whitechapel. Certains témoignages nous incitent à penser que nous pourrions y découvrir des éléments troublants.

– Expliquez-vous, Amos, je ne suis pas sûr de comprendre, s'impatienta le journaliste.

– Eh bien... D'abord, il semble que William Gull, le chirurgien de la reine Victoria, connaisse intimement ce médecin américain. Ce n'est pas tout. Cet homme a, dans une autre vie, servi dans le Royal Sussex Regiment...

Le journaliste mit quelques secondes à faire le rapprochement. Le Royal Sussex Regiment...? Puis tout à coup, il comprit et cria presque, au risque d'attirer l'attention de leurs voisins de table :

– Le morceau de lettre retrouvé auprès du corps d'Annie Chapman portait le cachet du Royal Sussex Regiment !

– Exactement. Et devinez où habite Francis Tumblety ? Au n° 2 du square Mansfield... À l'endroit où le policier a arrêté ce fiacre vide emprunté par William Gull la nuit du double meurtre...

George Sims sentit sa tête tourner. Il repoussa les visions d'horreur qui tentaient de s'imposer à lui... ces pauvres femmes soigneusement choisies par Francis Tumblety et William Gull pour leur vulnérabilité extrême ; le piège tendu autour d'elles par ces deux prédateurs, peut-être au moyen de lettres envoyées sous un prétexte fallacieux, dans le but de les amadouer... en leur proposant de l'argent, peut-être ? Ou une promenade en fiacre du côté du square Mansfield ? Le temps de leur faire croire qu'elles aussi avaient le droit de vivre comme les belles et riches jeunes femmes des beaux quartiers de Londres ? Une promesse de paradis. En réalité, un aller simple pour l'enfer...

Épilogue

Voilà, cher lecteur... Ainsi se termine l'histoire que, moi, Russell Edwards, j'ai pu reconstituer à partir du journal d'Henry et des lettres signées Jack l'Éventreur. Après cette incroyable soirée, Henry n'eut plus jamais de doute concernant l'innocence de son père. Le 30 septembre, la nuit du double meurtre d'Elizabeth Stride et de Catherine Eddowes, Amos Simpson avait faussé compagnie à son collègue Edward Watson pendant une heure pour rencontrer George Sims au Bricklayers' Arms. Il s'était déguisé pour ne pas être reconnu, ce qui explique qu'aucun de ses collègues ne l'ait vu faire sa tournée du côté de Dutfield's Yard.

Tu te demandes sans doute à présent pourquoi Henry a découvert un châle ensanglanté dans les affaires de couture de sa mère ? Et si ce châle est celui que j'ai acheté à la vente aux enchères de Bury St Edmunds ? Eh bien, la réponse à cette dernière question est oui. D'après les analyses génétiques que j'ai fait faire, ce châle appartient bien à Catherine Eddowes, la deuxième victime de la nuit du 30 septembre. Après son rendez-vous avec George Sims, Amos, comme tu le sais, a été parmi les premiers avec l'agent Watkins à prendre en charge le corps de cette infortunée. C'est à ce moment-là qu'il a récupéré le châle qui traînait dans le caniveau. L'étoffe était très belle. Amos a sans doute pensé que sa femme Jane pourrait en tirer matière pour confectionner un vêtement. Une drôle d'idée, me diras-tu... Mais peut-être Amos avait-il d'autres raisons de conserver ce bout de tissu, que nous ne connaîtrons jamais ? En 1917, il a confié le châle à sa sœur Mary Simpson. À la mort de cette dernière en 1927, il fut transmis à la fille de Mary, Eliza, puis, en 1966, à Elisabeth Hayes, la mère de David Melville-Hayes, l'homme à qui je l'ai acheté.

Une fois établi que le châle appartenait à Catherine Eddowes, encore fallait-il y retrouver des traces éventuelles de Jack l'Éventreur. Comment faire, dès lors que l'identité du meurtrier demeure de nos jours un mystère ? Eh oui... Tu vas peut-être être déçu, cher lecteur, mais Amos Simpson et George Sims faisaient fausse route ! William Gull, le chirurgien de la reine, n'a jamais participé ni protégé un sordide trafic d'organes humains en vue d'expériences humaines dignes du docteur Frankenstein ! En revanche, Francis Tumblety pourrait bien constituer un coupable idéal. Mais je vais te décevoir encore... Les analyses génétiques que j'ai fait faire ne sont pas en mesure de prouver que cet homme a pu être en contact avec le châle de Catherine Eddowes.

En revanche, elles ont révélé un autre nom... Celui d'Aaron Kosminski. Ce Polonais avait émigré à Londres en 1882, à l'âge de 18 ans, pour vivre chez son frère à Whitechapel, à Sion Square. Il exerçait le métier de coiffeur. Aaron Kosminski a été reconnu fou en 1888, mais il n'a été interné définitivement dans un asile que le 7 février 1891, où il est mort en 1919. Or, grâce à mes recherches dans les archives de Scotland Yard, j'ai découvert qu'Aaron Kosminski, comme Francis Tumblety, a fait partie de la liste des principaux suspects de Scotland Yard. Selon moi, cette coïncidence prouve de façon presque certaine sa culpabilité.

J'ajouterai une dernière précision. Jack l'Éventreur commit un ultime meurtre le 9 novembre 1888, sur la personne de Mary Jane Kelly, une jeune prostituée de 25 ans. À cette date, Aaron Kosminski courait encore en liberté dans les rues de Whitechapel...

Note de l'auteure

Ce récit est une fiction bien que la plupart des personnages aient réellement existé : Jack l'Éventreur et ses victimes bien sûr, mais aussi Russell Edwards, Amos, Jane et Henry Simpson ; le journaliste George Sims, l'inspecteur en chef Donald Swanson, le préfet Charles Warren et John Pizer – un bottier qui a bien été arrêté par Scotland Yard mais relâché ensuite : il disposait d'un bon alibi. Emily et Joseph Braunstein, en revanche, relèvent de mon imagination, mais leurs conditions de vie sont inspirées de celles de milliers d'enfants, de femmes et d'hommes qui habitaient à Whitechapel au XIXᵉ siècle. Deux ouvrages en particulier m'ont guidée pour cette histoire : *Le livre rouge de Jack l'Éventreur,* de Stéphane Bourgoin (éd. Points, 2014), criminologue spécialiste des tueurs en série; et *Jack l'Éventreur démasqué*, de Russell Edwards (L'Archipel, 2016), un collectionneur anglais d'objets et de documents liés à l'affaire Jack l'Éventreur.

En 2007, Russell Edwards a réellement acquis aux enchères un châle supposé appartenir à un descendant d'Amos Simpson, policier de son état et contemporain de l'affaire Jack l'Éventreur. Il a bien fait procéder à une analyse des empreintes génétiques sur le châle, mais les conclusions de son enquête sont contestées par des scientifiques reconnus : il n'est pas certain que ce châle ait réellement appartenu à Catherine Eddowes et les traces d'ADN du meurtrier présumé – Aaron Kosminski, qui reste parmi l'un des coupables les plus probables – pourraient en réalité correspondre à plusieurs milliers de personnes...

À ce jour et sans doute à tout jamais, Jack l'Éventreur n'est toujours pas identifié de manière incontestable. Pour ma part, une chose m'étonne dans toute cette affaire. Aucune théorie sérieuse, jamais, n'a évoqué le fait que Jack l'Éventreur ait pu être un agent de police...

LES GRANDES
ÉNIGMES
DE L'HISTOIRE

DOCUMENTS

Jack l'Éventreur

Londres, au XIXᵉ siècle, une ville déjà immense

Avec plus de 3 millions d'habitants, la capitale britannique est, en 1888, la plus peuplée d'Europe. Les plus aisés vivent dans des quartiers bien entretenus, au centre, à l'ouest et au sud ; les plus pauvres s'entassent dans l'East End, un ensemble de districts situés au Nord Est de la Tamise, le fleuve qui traverse Londres. Autrefois surnommé " La Poubelle ", l'East End englobait les quartiers de Whitechapel et de Spitalfields, où ont été commis tous les meurtres de Jack l'Éventreur.

Des conditions de vie très difficiles

Les familles de l'East End habitaient dans des maisons insalubres sans cuisine ni salle de bain. Souvent, l'habitation, qui ne comptait qu'une pièce et très peu de mobilier, servait aussi d'atelier. Ceux qui n'avaient pas de toit dormaient dans la rue ou s'abritaient dans des asiles de nuit, immenses dortoirs comptant plusieurs centaines de lits. En échange de cet hébergement et d'un peu de nourriture, ils devaient casser des pierres ou fabriquer de la filasse (sorte de grosses pelotes de ficelle faites de fibres végétales).

WOMAN LABOUR IN LONDON.
BY T. SPARROW, AUTHOR OF "AS ONE OF THE PENNILESS POOR," ETC.

BOX-MAKING.

© Archivist

Le manque d'argent et de travail engendrait souvent des problèmes de malnutrition : un habitant sur trois de l'East End ne mangeait pas à sa faim. Ces conditions de vie difficiles, ajoutées à un environnement pollué en raison des usines qui rejetaient des fumées toxiques, favorisaient les maladies graves telles que la tuberculose, la fièvre typhoïde ou le choléra. Pour subvenir à leurs besoins, les femmes et les enfants, dont un certain nombre étaient orphelins, occupaient toutes sortes d'emplois.

C'est quoi, Scotland Yard ?

On appelle ainsi la Metropolitan Police, l'une des deux forces de police qui assuraient le maintien de l'ordre à Londres à la fin du XIXᵉ siècle. Elle était dirigée par un préfet de police, qui travaillait sous les ordres du ministre de l'Intérieur. Scotland Yard souffrait d'une mauvaise réputation, en raison de plusieurs scandales liés à la corruption. La personnalité et l'action de Charles Warren, nommé à sa tête en 1886, ont aggravé la situation. En 1888, au moment où Jack l'Éventreur commet ses crimes, son impopularité est au plus haut dans la presse et l'opinion publique. Elle va contribuer à l'hystérie des journalistes et à l'utilisation de Jack l'Éventreur comme prétexte pour attaquer le préfet. Charles Warren a d'ailleurs dû démissionner le 9 novembre 1888, le jour de la découverte de Mary Jane Kelly, la cinquième victime de Jack l'Éventreur.

Francis Tumblety, l'autre suspect selon Scotland Yard

Plus de 160 suspects ont été arrêtés dans le cadre de l'affaire Jack l'Éventreur ! Tous ont été relâchés, faute de preuve. Outre Aaron Kosminsky, un autre coupable présumé très crédible, les inspecteurs de Scotland Yard ont soupçonné un autre homme : Francis Tumblety. Cet Américain, qui possédait un appartement à Whitechapel et venait régulièrement à Londres, se prétendait médecin mais était en réalité un escroc.

À chacun de ses séjours en Grande-Bretagne - qui ont correspondu aux dates des crimes - , la police le surveillait de très près sans pour autant le piéger. L'homme, âgé de 55 ans, était connu pour haïr les femmes, et il possédait chez lui une collection d'organes humains féminins. Il a fui aux États-Unis en décembre 1888. Apprenant par la presse qu'un inspecteur de Scotland Yard l'avait suivi, Tumblety a de nouveau fui. Il n'est réapparu qu'en 1893. Malade, il a terminé sa vie chez sa sœur...

Les méthodes de la police, encore très sommaires

En 1888, la police ne disposait
pas des connaissances scientifiques
et des techniques modernes
d'investigation ! Par exemple,
le prélèvement des empreintes digitales
n'existait pas, pas plus que la
graphologie, l'étude de l'écriture.
On ne savait pas analyser chimiquement
l'encre et le papier - ce qui aurait
peut-être permis d'identifier au moins
l'auteur des lettres signées Jack
l'Éventreur.

Les méthodes et l'organisation du
travail d'enquête différaient des
pratiques actuelles. Policiers et
médecins ne collaboraient pas vraiment
ensemble. On protégeait et examinait
moins rigoureusement les scènes de
crimes, au risque d'oublier des indices
matériels essentiels. Aucun psychologue
n'établissait le profil psychologique
des tueurs en série comme on le fait
aujourd'hui. Enfin, la science de
la génétique n'ayant pas encore été
explorée, il était inimaginable de
prélever de l'ADN laissé par un meurtrier
sur le lieu du crime. La notion même d'ADN
n'avait pas été inventée !

Qui est l'auteur des lettres signées Jack l'Éventreur ?

6 Oct 1885

You though your self very clever I reckon when you informed the police But you made a mistake if you though I dident see you Now I know you know me and I see your little game, and I mean to finish you and send your ears to your wife if you show this to the police or help them if you do I will finish you. It no use your trying to get out of my way Because I habe you when you dont expect it and I keep my word as you soon see and rip you up Yours truly Jack the Ripper

You see I know your address.

Il n'y a pas eu un mais plusieurs auteurs. On pense aujourd'hui que ces dizaines de courriers, envoyés à l'agence de presse Central News Agency, furent des canulars de très mauvais goût ! Au début, Scotland Yard les a crus authentiques, au point de reproduire sur des milliers d'affiches et de prospectus la première missive envoyée fin septembre 1888, après la nuit du double meurtre d'Elisabeth Stride et de Catherine Eddowes. Certains de ces plaisantins macabres ont été démasqués par la suite. Parmi eux, il y avait plusieurs journalistes et une jeune couturière !

Le profil de Jack l'Éventreur selon le FBI

En 1988, des spécialistes des tueurs en série ont établi le profil psychologique de Jack l'Éventreur. Selon eux, l'assassin de Whitechapel était très intelligent et âgé de 28 à 36 ans. Il habitait le quartier depuis longtemps, travaillait et vivait seul : il a commis tous ses crimes le week-end et durant la nuit, entre minuit et 6 heures du matin. Enfant, il avait dû subir de très graves violences de la part des adultes qui l'entouraient. Timide, il devenait très violent et agressif en cas de stress. Son apparence, enfin, devait être soignée. Quand il sortait, il choisissait ses plus beaux vêtements pour donner l'impression d'être aisé et attirer ainsi à lui les femmes seules.

Des images d'époque montrent les patrouilles de comités de surveillance bénévoles enquêtant en marge de la police.

LES GRANDES ÉNIGMES DE L'HISTOIRE

Dans la même collection
